Collection **marabout service**

D0683856

Afin de vous informer de toutes ses publications, **marabout** édite des catalogues et prospectus où sont annoncés, régulièrement, les nombreux ouvrages qui vous intéressent. Pour les obtenir gracieusement, il suffit de nous envoyer votre carte de visite ou simple carte postale mentionnant vos nom et adresse, aux Nouvelles Editions Marabout, 65, rue de Limbourg, B-4800 Verviers (Belgique).

HSUAN TSAI SU-NU

Les points du plaisir sexuel d'après la tradition chinoise

Techniques de manipulation

Traduit de l'espagnol
par DENISE LAROUTIS

marabout

Sommaire

Deuxième partie : Applications

APRES L'ACCOMPLISSEMENT

Après l'accomplissement, le feu et l'eau vivent ensemble. Lorsque l'eau et le feu vivent ensemble, c'est que les éléments sont en équilibre et que la pratique duelle a été bénéfique.

Après l'accomplissement
est l'hexagramme 63 du *I Ching*.

Prologue

Au cours de ces dernières années, des termes tels que Tantra, Kundalini, Raja-Yoga ou Siva-Sakti, sont devenus de plus en plus fréquents, presque courants. En particulier, le mot « Tantra » est désormais connu partout. Il n'en va cependant pas de même pour ce que nous appellerons le « tantra chinois ».

Certaines écoles taoïstes pratiquent depuis des millénaires cette façon de suivre le chemin. Cette immersion dans le Tao s'obtient par le biais du rapport sexuel pratiqué de manière à éviter l'éjaculation masculine. Bien évidemment, le processus est beaucoup plus complexe que celui d'un simple *coïtus reservatus* et, curieusement, n'exclut pas une certaine forme d'orgasme masculin, au contraire. L'union sexuelle renforce certaines énergies subtiles, lesquelles permettent aux deux sexes de parvenir à l'immortalité.

Nous nous trouverions donc face à une autre de ces méthodes par lesquelles le taoïsme recherche cette immortalité que nous devrions comprendre plutôt comme une transcendance que comme une perpétuation infinie de l'existence corporelle.

Dans certains textes taoïstes, nous tombons souvent en arrêt devant des expressions poétiques telles que le « Combat fleuri », l'« union des souffles » ou la « culture à deux » ou « culture duelle », qui font référence à la rencontre sexuelle de deux adeptes. Par ce langage, on prétendait écarter les curieux, avides de sensations fortes, de pratiques dont l'ensemble formait un corps de doctrines authentiquement yogi, parallèle et parfois coïncidant avec ce que l'on a appelé le « yoga alchimique ». Ces pratiques comportent toute une série de postures et de recommandations sexuelles ainsi que des exercices, des normes diététiques et des systèmes de respiration. L'ensemble a pour but de renforcer certaines énergies vitales qui, plus tard, doivent former un corps subtil. Sa destination est de permettre à l'adepte de survivre à la disparition de son corps physique.

Mais le premier pas pour obtenir, renforcer et purifier ces énergies vitales est d'éviter l'émission de sperme pendant la pratique sexuelle et, dans le cas de la femme, de parvenir avec facilité à l'orgasme. Pour ce faire, il convient de renforcer la sexualité, en mettant en œuvre toute sorte de méthodes, depuis les aphrodisiaques jusqu'au contrôle de l'énergie au travers des méridiens. Cette dernière méthode, employée dans l'acupuncture, est sans doute aucun plus sûre que l'ingestion de potions de provenance douteuse. Mais il existe une technique encore plus inoffensive que l'acupuncture, qui consiste à remplacer les aiguilles par l'extrémité des doigts. C'est à ce type de contrôle des énergies vitales qu'est consacré le présent ouvrage.

S'il est difficile de trouver des livres traitant de la pratique duelle, il s'avère presque impossible d'en découvrir de bons qui expliquent en détail sa technique, et encore moins le thème de la stimulation et du contrôle sexuels au moyen de la digitopuncture. Nous n'en connaissons pas en Occident.

L'auteur, une adepte du système de pratique duelle, rédigea, au premier tiers de ce siècle, et sur les injonctions de son maître, deux volumes où elle nous révèle les secrets de sa secte. Dans l'un de ces volumes, elle nous dévoile les rites nécessaires à la pratique duelle, avec les cérémonies observées par les couples au moment de leur rencontre. Le second volume décrit les techniques servant à renforcer la sexualité au moyen de la digitopuncture.

Cet ouvrage nous a posé certains problèmes, entre autres celui d'adapter pour le lecteur actuel un langage et des formes d'expression propres à un système philosophique et culturel très éloigné du nôtre. Il a fallu simplifier certains textes qui ne faisaient qu'obscurcir la compréhension de l'idée originelle, par l'emploi répété de métaphores et d'expressions poétiques, telles que : « La douce pression des doigts comme chemin de récupération de l'équilibre du ch'i », employée pour désigner la digitopuncture sexuelle.

On a ajouté dans ce livre une centaine d'illustrations, qui seront une aide précieuse pour l'application des techniques servant à renforcer la sexualité, à combattre l'éjaculation précoce, l'impuissance ou la frigidité.

Ces techniques furent pensées dans le but d'améliorer notre existence. Nous ne devons pas les prendre à la légère, sous peine de les voir se retourner contre les pratiquants eux-mêmes.

L'auteur divulgue ici un art taoïste secret, pratiquement disparu de notre monde, tant occidental qu'oriental, et il est donc difficile d'évaluer la portée et les conséquences en cas de non-observation et de non-respect des indications données dans cet ouvrage.

L'éditeur.

Introduction

*A la mémoire de Wu Shang Sheng
qui fit de chacune de nous l'un de
ses vingt-quatre souffles.*

Année du singe d'eau yang, cycle soixante-seize

Le quatrième jour du treizième mois, Wu Shang Sheng, notre maître, comprit par une vision que le destin de notre confrérie était de retourner au néant. Il décida alors de me confier la tâche, à moi, celle de ses vingt-quatre disciples qui le méritait le moins, de faire connaître au monde les techniques secrètes qui nous permettent de progresser dans la maîtrise de la pratique duelle.

D'après la vision, cette révélation devait se faire au moyen du papier imprimé. De la sorte, bien que notre confrérie fût destinée à disparaître, les connaissances en seraient transmises, et l'enseignement en resterait vivant.

Pour m'aider dans cette tâche, le maître m'accorda l'honneur de la Pleine Lune et m'éleva à la dignité de Fille de la Terre. C'est ainsi que je pus communiquer mes connaissances, guidée par la présence du maître, tandis qu'autour de nous s'effondraient les restes de l'ordre ancien.

Nous dûmes vite nous réfugier chez les barbares du Sud puisque, conformément à ce qui avait été prédit, moins de onze lunes après que nous eussions commencé notre travail, la confrérie se trouva dispersée alors que mouraient la plupart de mes compagnes. Deux lunes auparavant, mon maître avait rejoint la compagnie des Immortels. Nous trouvant alors privées de sa présence physique, nous allions être la proie de tous les malheurs.

Dans le Sud, accomplissant ce qui m'avait été demandé par le maître Sheng, j'achevai le travail commencé dans notre patrie. Je révélai le contrôle des portes du ch'i et les rites occultes, jusqu'à la troisième initiation. Les deux ouvrages furent imprimés en anglais, et leur enseignement se répandit alors de par le monde.

En un jour propice de l'année du dragon de métal yang.

Première partie

Points du plaisir
et techniques de manipulation

Points du plaisir

Le nombre total de portes que contrôlent les énergies sexuelles varie selon les enseignements des diverses écoles. Suivant ici les conseils de Wu Shang Sheng, je n'ai pas écarté les connaissances d'autres grands maîtres, présents et passés. C'est ainsi que dans les pages qui suivent sont décrits, localisés, les soixante-sept principaux points avec le mode de traitement de chaque point. Ce sont ceux que la pratique a révélé comme les plus efficaces.

Les néophytes devront éviter de commettre l'erreur de croire que ces portes donnent accès à tous les types de stimulation sexuelle. La plupart d'entre elles n'ont d'intérêt que comme renforcement des résultats du traitement, et sont inutiles employées seules.

Les techniques apprises, l'adepte de la pratique duelle pourra avoir accès aux applications. Elles lui permettront de le soulager de ses problèmes ou de ceux de sa (son) partenaire, en lui facilitant l'accès au « chemin secret de l'interaction du yin et du yang ».

La localisation des points : le Tsun

La surface qu'occupe un point est très petite, on pourrait la recouvrir largement avec la moitié d'un grain de riz. C'est là d'ailleurs le premier problème que pose la localisation des points. Comment trouver à coup sûr ce lieu minuscule ? Mais cette difficulté n'est qu'apparente. Dans la pratique, lorsque l'on traite les points par le système de pression[1], on tient compte aussi de l'« aire d'influence » autour du point, équivalant à la surface du bout d'un doigt.

Pour localiser les points, il nous faut un guide qui en donne la liste et la situation sur le corps. Ces guides se composent en général de deux parties : des reproductions du corps humain où sont indiqués les points, et une classification les décrivant en détail.

En jetant un simple coup d'œil sur de telles reproductions, on se rend compte aussitôt que certains points sont immédiatement repérables. Ils doivent cette particularité à leur situation, comme le point 1, qui se trouve entre les sourcils. Il nous faudra pour d'autres, tels que le point 6, consulter la classification. Enfin, il restera une série de points identifiables seulement en se servant des méthodes de localisation.

Méthodes de localisation : le chemin de la mesure et le chemin direct :

Il existe deux chemins, opposés et complémentaires, pour localiser les points. L'un est rationnel, extérieur, actif, yang : c'est le « chemin indirect » ou « chemin de la mesure ». L'autre est intuitif, réceptif, yin : c'est le « chemin direct » ou « sensitif ».

I - Le chemin de la mesure.

Sur ce chemin, on repère les points en mesurant les dis-

---

1. Il n'en va pas de même en acupuncture, où il faut faire coïncider l'aiguille avec le point. (*Note de l'éditeur.*)

穴道

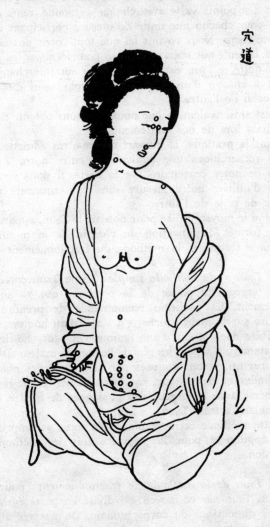

Fig. 1.

tances qui les séparent des éléments connus, soit des points, soit une zone anatomique particulière. Comme l'emplacement des points varie avec chaque personne, nous utiliserons pour chacun une unité de mesure participant de son propre corps. Nous voyons ici que tout corps possède son unité, la seule que nous utiliserons pour localiser les points. Cette unité, le Tsun, est personnelle, et non interchangeable. C'est à chacun d'utiliser son Tsun, pas celui du voisin, pas celui de l'autre.

C'est ainsi seulement que nous pourrons obtenir de bons résultats lors de nos traitements.

Dans la pratique, la plupart des maîtres admettent que nous recherchions une équivalence entre notre Tsun et celui de notre partenaire. De la sorte, il nous sera possible d'utiliser notre mesure sans constamment être en quête de celle de l'autre.

Selon le moyen utilisé pour obtenir le Tsun, apparaissent deux formes d'application du chemin de la mesure : la méthode simple et la méthode du fractionnement.

Le Tsun de la méthode simple : ici, le Tsun correspond à la largeur du pouce de la personne qui va subir le traitement. La tradition recommande de prendre cette mesure sur la main gauche, s'il s'agit d'un homme, et sur la droite dans le cas d'une femme. On peut choisir aussi la distance qui sépare les plis de flexion du majeur. D'autres mesures utiles sont données par la largeur des phalanges de l'index et du majeur, équivalant à 1,5 Tsun. Il en va de même avec la largeur des phalanges de quatre doigts, équivalant à trois Tsun.

Cette méthode est à la portée de tous, y compris ceux qui appliquent pour la première fois les méthodes de pression.

Le Tsun de la méthode de fractionnement : pour obtenir un Tsun par ce moyen, on divise en parts égales certaines dimensions du corps humain. On partage ainsi en cinq la distance entre le nombril et le bord du pubis, ce

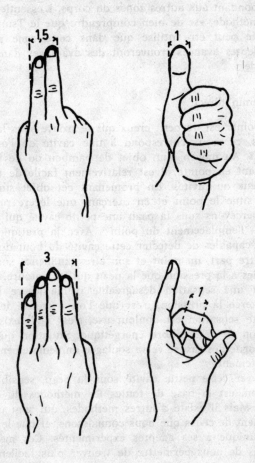

Fig. 2. Le Tsun de la méthode simple.

qui donne un Tsun servant à localiser les points situés dans cette aire. On trouve de la même façon les Tsun correspondant aux autres zones du corps. L'essentiel, dans cette méthode, est de bien comprendre que le Tsun d'une zone ne peut être utilisé que dans cette zone précise. Les adeptes avancés trouveront des avantages dans cette méthode.

2- Le chemin direct.

Le point [2] est un petit creux qui se trouve sous la peau. Parfois, ce creux correspond à une cavité de l'os situé dessous. Au moyen d'un objet de bambou ou de bois se terminant en pointe, il est relativement facile de trouver ces creux ou cavités. En promenant cet objet sur l'aire où se situe le point et en exerçant une légère pression, nous percevons sous la peau une petite cavité qui correspond à l'emplacement du point [3]. Avec la pratique, nous serons capables de détecter cette cavité du bout du doigt.

D'autre part, un point et son aire d'influence sont plus sensibles à la pression que la peau qui les entoure. Si l'on ressent une sensation désagréable même légère lorsque l'on exerce la pression, c'est que l'on a trouvé le point. Si cette sensation est douloureuse, c'est qu'il existe une situation de déséquilibre énergétique. Situation qui, dans la majorité des cas, se verra soulagée immédiatement après le traitement.

Trouver cette petite cavité sous la peau, sensible à la pression, est la base de toutes les méthodes du chemin direct. Mais il existe d'autres méthodes, qui sont un élargissement de celles que nous connaissons, et que le maître communique à ses adeptes expérimentés. Ces méthodes, en plus de nous permettre de trouver plus facilement et

2. « Hsie », est l'idéogramme chinois que l'on traduit en Occident par « point », bien que le sens littéral en soit « creux », « trou », « cavité ». (*Note de l'éditeur.*)
3. On peut réaliser la même opération avec la pointe d'un stylo à bille vide. (*Note de l'éditeur.*)

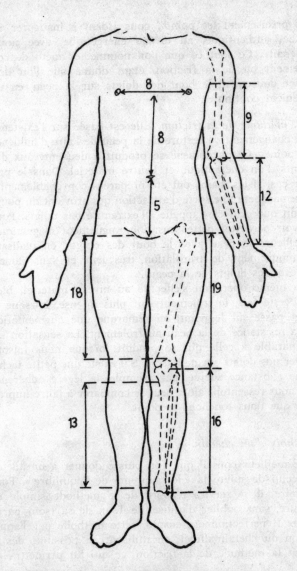

Fig. 3. Les Tsun de la méthode de fractionnement.

plus précisément les points, nous aident à inaugurer un contact authentique, au niveau énergétique, avec notre partenaire. Ce sont ce que l'on nomme les méthodes du frôlement ou de la friction, étant donné que l'on doit passer doucement le bout des doigts sur la peau, en un frôlement continu.

La méthode de la friction. Elle est basée sur l'existence d'un changement de texture de la peau de l'aire d'influence des points. Ce phénomène se produit à deux niveaux différents, l'un énergétique et l'autre matériel. Dans le premier cas, si les mains ont été préparées convenablement [4], on remarquera une sorte d'attraction qui provient du point. On dit que celui-ci « appelle » l'extrémité des doigts. Pour pouvoir percevoir cette sensation, vaguement magnétique, on effleure la peau avec le bout des doigts, en réalisant un mouvement de translation très lent et sans jamais soulever les doigts de la peau.

La même opération s'effectue au niveau matériel, bien que, cette fois, le frôlement soit plus intense. Lorsque le doigt passe sur le point, on remarque une augmentation de la résistance de la peau au frôlement. La sensation est comparable à celle qui se produit lorsque nous faisons glisser nos doigts sur de la soie. S'il existe une petite tache, d'une substance sucrée, par exemple, la légère adhérence que nous ressentons alors peut se comparer à notre impression que nous touchons le point.

Le choix d'un chemin.

Le meilleur conseil que l'on puisse donner à un adepte est celui de suivre la « loi suprême de l'équilibre ». Pour ce faire, il se servira d'abord de la méthode simple de mesure, sans oublier d'utiliser le Tsun de sa (son) partenaire. Il perfectionnera ensuite cette méthode par l'application du chemin direct, en utilisant, si possible, dès le début la méthode de la friction, ce qui lui permettra de

---

4. Voir les techniques de manipulation. (*Note de l'éditeur.*)

situer les points avec la plus grande précision, et de réussir par la suite toute sorte de traitements.

S'il utilise les deux chemins, il s'en tiendra toujours à un seul point, du moins les premières fois. C'est pourquoi il existe des traitements à partir d'un point unique. Il évitera ainsi les déséquilibres énergétiques dans le couple, provoqués par la recherche maladroite des points. La pression, effectuée trop souvent dans une telle recherche, peut activer la circulation d'énergie.

L'apprentissage de la localisation, s'il s'opère seulement à partir du système de la mesure, sans pression, peut être utile pour nous familiariser avec les points.

Il existe trois possibilités de localiser les points : à partir de dessins, en utilisant les méthodes spéciales et au moyen d'une classification.

La classification des points

Toute classification doit se baser sur les localisations définies par les grands maîtres. La majeure partie en est due aux enseignements de Wu Shang Sheng. Pour le reste, on s'est servi de celles appartenant aux traitements les plus connus et les plus efficaces.

A la suite du numéro correspondant à chaque point, il sera précisé ici s'il est unique (situé sur la ligne médiane du corps) ou s'il est double (ce qui implique qu'il existe deux points symétriques de chaque côté de cette ligne médiane, formant en réalité un seul point).

Il est expliqué ensuite comment localiser ces points et comment il convient d'appliquer la pression.

Points de la tête et du cou.

1) Unique. Situé entre les sourcils. Pression forte de haut en bas ou perpendiculairement.

2) Double. Situé près de l'œil, entre l'orifice lacrymal et le nez. La pression s'exerce selon un angle de quarante-cinq degrés en direction du nez. On commencera par

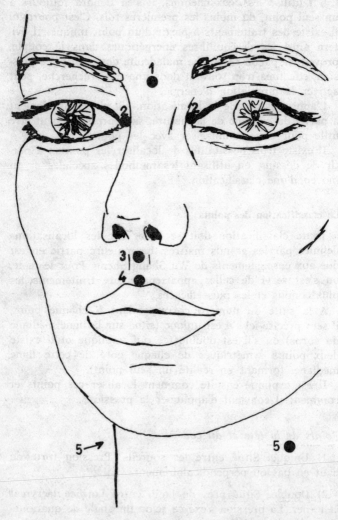

Fig. 4. Points de la tête et du cou.

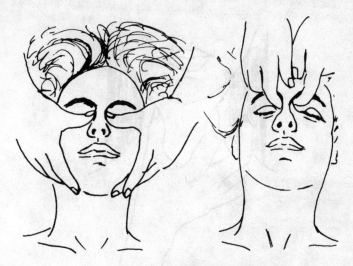

Fig. 5. Traitement du point 2.

appuyer doucement, jusqu'à atteindre la pression maximale supportable sans douleur. Selon la forme des yeux
de la (du) partenaire, on emploiera les index ou les pouces.
Il est fondamental que les ongles soient soigneusement
taillés, afin de ne pas risquer de blesser les yeux.

3) Unique. Sur la ligne médiane de la lèvre supérieure,
à un tiers du nez. Pression dirigée vers le haut.

4) Unique. Situé en dessous du point antérieur, juste
au bord de la lèvre. La pression consistera ici en un pincement, comme pour le point 8. Ce point et le point antérieur
sont connectés avec le clitoris par un canal spécial. La
stimulation de l'un quelconque de ces deux points aide à
la relaxation.

5) Double. Situé dans le cou, sous la mâchoire, de chaque côté du larynx, juste à l'endroit où l'on sent battre
la carotide, sur le bord extérieur du muscle du cou (sterno-
cléido-mastoïdien). Pression douce, en direction du muscle,
en évitant les pressions directes sur l'artère.

Fig. 6. Traitement du point 5.

Points sur les bras.

6) Double. Situé à l'extrémité de l'épaule. Sur l'articulation de l'omoplate avec la clavicule. Pour le localiser, il faut que notre partenaire lève légèrement les bras latéralement, jusqu'à l'horizontale. Dans cette posture, on voit apparaître deux dépressions ou creux sur l'épaule. La plus petite, qui est aussi la plus proche de la pointe de l'omoplate (acromion), contient le point que nous recherchons. Appuyer verticalement avec les pouces.

7) Double. Situé dans une dépression, entre l'extrémité du pli du coude et la tête de l'humérus. Appuyer vers le coude.

8) Double. Situé sur le dos de la main, près du deuxième métacarpien. Si l'on écarte l'index du pouce, il se produit

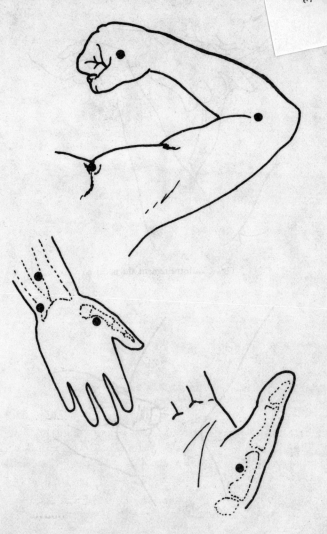

Fig 7. Situation des points du bras.

Fig. 8. Autotraitement du point 6.

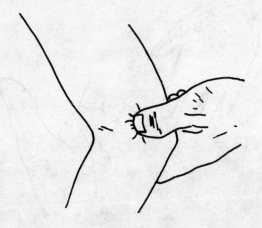

Fig. 9. Traitement du point 7.

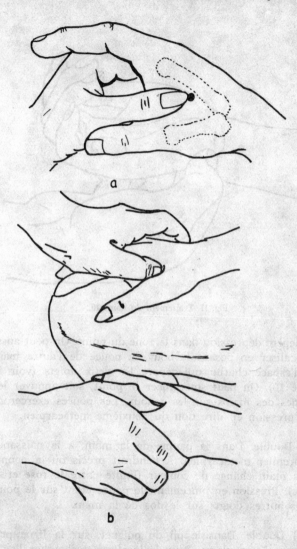

Fig. 10. Localisation (*a*) et traitement (*b*) du point 8.

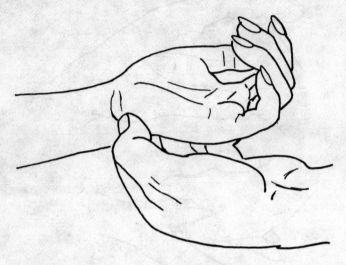

Fig. 11. Traitement du point 10.

une légère dépression dans la zone du point. On peut aussi le localiser en posant le bout du pouce de l'autre main sur l'espace charnu qui sépare les deux doigts (voir la figure 10). On peut soit pincer le point, soit appuyer les paumes des mains sur les genoux. Les pouces exerceront leur pression en direction du deuxième métacarpien.

9) Double. Dans la paume de la main, à la naissance du premier métacarpien. A l'endroit précis où la paume de la main change de couleur (limite entre le rose et le blanc). Pression en pincement, le pouce étant sur le point et les autres doigts sur le dos de la main.

10) Double. Dans le pli du poignet, sur la ligne prolongeant l'auriculaire. Pour le localiser, rechercher l'os à la base de la paume de la main. Le point se trouve dans un petit creux, à l'intérieur du poignet, près de l'os, lors-

qu'on replie la main vers le bas. Presser fortement avec
le pouce.

11) Double. Situé deux Tsun au-dessus du pli du poignet, entre les deux tendons. Presser avec le pouce, à la
verticale et fortement.

Points sur la partie frontale du corps.

Tous les points situés dans cette aire seront traités
d'une pression ferme, mais pas tout à fait aussi énergique
qu'auparavant. On emploiera ici deux ou trois doigts au
lieu d'un seul.

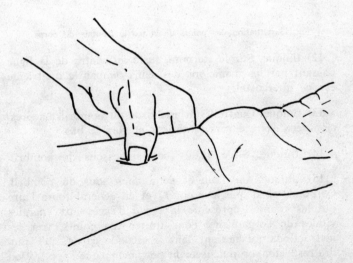

Fig. 12. Traitement du point 11.

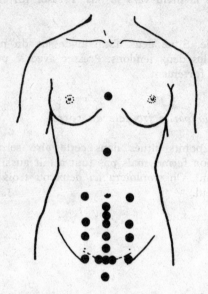

Fig. 13. Situation des points de la partie frontale du corps.

12) Unique. Sur le sternum, juste au centre de la ligne passant par les mamelons des seins ou par le quatrième espace intercostal.

13) Unique. Quatre Tsun au-dessus du nombril. La pression sera exercée vers l'intérieur et vers le bas.

14) Unique. Situé à un Tsun au-dessous du nombril.

15) Unique. Un Tsun et demi au-dessous du nombril. Ce point, ainsi que le point 17 et en général toute l'aire qui les réunit, représente la porte d'accès aux énergies vitales de l'organisme. Pour traiter ces points, voir les instructions qui figurent dans la seconde partie, qu'il faudra respecter scrupuleusement pour éviter que l'application du traitement ne provoque un excès d'énergie ou n'épuise l'organisme.

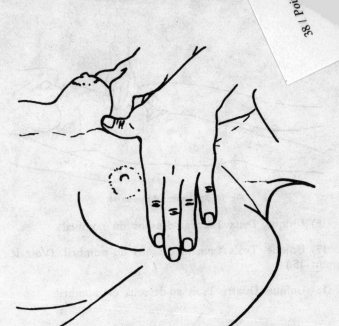

Fig 14. Une variante de traitement du point 12.

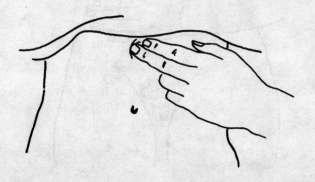

Fig. 15. Traitement du point 13.

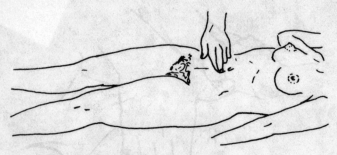

Fig. 16. Traitement du point 14.

16) Unique. Deux Tsun au-dessous du nombril.

17) Unique. Trois Tsun au-dessous du nombril. (Voir le point 15.)

18) Unique. Quatre Tsun au-dessous du nombril.

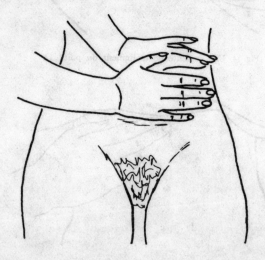

Fig. 17. Autre manière de traiter les points 14, 15, 16 et 17.

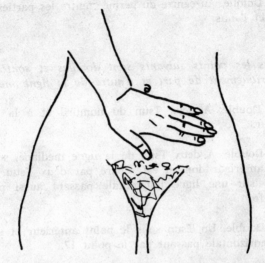

Fig. 18. Une autre manière de traiter les points 16, 17, 18 et 19.

19) Unique. Aligné sur les antérieurs, sur le bord de l'os du pubis, il coïncide dans certains cas avec le début de la toison pubienne.

Tous les points qui précèdent se trouvent sur la ligne médiane de la partie frontale du corps.

Fig. 19. Autotraitement du point 19.

20) Unique. Au centre du périnée, entre les parties génitales et l'anus.

Tous les points suivants sont doubles et sont situés symétriquement de part et d'autre de la ligne médiane.

21) Double. A deux Tsun du nombril et à la même hauteur.

22) Double. A deux Tsun de la ligne médiane, sous le point antérieur dont il est séparé par deux Tsun. Il se trouve sur une ligne horizontale passant aussi par le point 16.

23) Double. Un Tsun sous le point antérieur et sur la ligne horizontale passant par le point 17.

24) Double. Un Tsun sous le point antérieur, sur la ligne horizontale passant par le point 18.

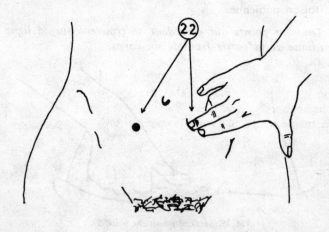

Fig. 20. Traitement du point 22.

25) Double. Un Tsun sous le point antérieur (cinq Tsun en dessous du point 21, qui se trouve à la hauteur du nombril). Situé sur la ligne horizontale passant par le point 19.

26) Double. Sur le bord supérieur de l'os du pubis. Situé entre les points 19 et 25 et sur la même ligne horizontale. Il se trouve à un demi-Tsun du point 19 et à un Tsun et demi du point 25.

Les trois mudras.

Les trois points suivants se différencient des autres en ce qu'ils réclament un mode. d'appliquer la pression particulier. Elle doit se limiter à un simple contact. La connaissance de ces points s'obtient après avoir dépassé la première initiation du culte duel. Il existe, dans les enseignements qui suivent cette initiation, toute une série de gestes rituels servant à mettre en contact diverses « portes ». On désigne sous ce nom l'extrémité de diverses « veines d'énergie vitale » ou canaux de circulation du ch'i. L'union de ces extrémités permet de mettre en contact les énergies sous une forme peu habituelle ou de transmettre de l'énergie d'une personne à une autre.

L'enseignement contenu dans ces trois mudras, ou gestes rituels, est, de plus, très simple. Il consiste en deux gestes de réorganisation d'énergies et un geste de transmission. Les trois gestes s'utilisent séparément, pendant l'acte sexuel. Chacun a sa fonction, et ils ne doivent pas être accomplis en même temps ni le même jour.

27) Double. Au bout des deux index. On touchera le bout des doigts avec les pouces de la même main. Il se forme ainsi un cercle. Ce point et le suivant participent d'un auto-traitement et il ne faut donc pas mettre les doigts en contact avec ceux du (de la) partenaire. Ce geste permet de contrôler et d'équilibrer le flux du ch'i. Le maintenir jusqu'à l'orgasme.

28) Double. Au bout des majeurs. On touche le bout des majeurs avec l'extrémité du pouce, en formant un cercle. Ce geste aide à stabiliser le mental et à prolonger le coït.

29) Double. Sur la plante des pieds. Pour localiser ce point, on replie les orteils vers le bas, jusqu'à faire apparaître une ligne horizontale, sur laquelle se trouve situé ce point, approximativement sous le deuxième orteil. Si nous resserrons alors les deux côtés du pied avec une main, une ligne verticale se dessine. Cette dernière coupe la ligne antérieure au point, exactement. Pour transmettre l'énergie de l'homme à la femme, il faut mettre en contact les majeurs de celui-ci avec le point 29 de sa compagne. Le doigt de la main droite avec le pied gauche, et vice versa. Le courant énergétique transmis augmente l'orgasme féminin.

Points situés sur les jambes.

La pression sur ces points sera forte et verticale. Soit par pincement, lorsque la jambe le permet, soit par pression sur la jambe allongée et soutenue, repliée, ou le pied appuyé sur le sol.

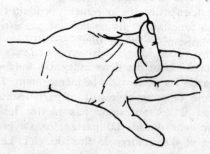

Fig. 21. La connexion du point 28.

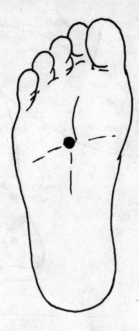

Fig. 22. La situation du point 29.

30) Double. Deux Tsun en dessous du pli de l'aine. Un Tsun sous l'endroit où l'on sent battre l'artère fémorale, sur la face interne de la cuisse. Pression du pouce. Ce point est plus aisé à localiser sur une personne allongée.

31) Double. Si les deux adeptes s'assoient face à face et s'ils posent chacun leurs mains sur les genoux de l'autre, ils trouveront le point sous leur pouce. Le milieu de la paume doit coïncider avec la rotule. Pression avec le pouce.

32) Double. En gardant la posture antérieure, le point se trouve dans le creux formé à l'extrémité du pli intérieur de flexion du genou, au bord du tendon. Pression avec le pouce.

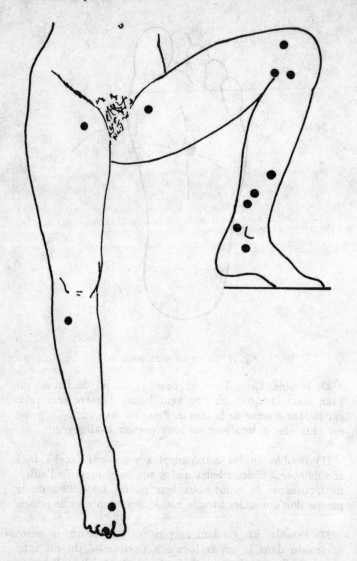

Fig. 23. Situation des points des jambes.

Fig. 24. Localisation du point 31.

33) Double. Situé dans un creux sous la tête du tibia. Pression avec le pouce.

34) Double. Trois Tsun en dessous du bord externe de la rotule, et vers l'extérieur de la largeur d'un doigt. Pour localiser ce point sur soi, il convient de s'asseoir et d'at-

Fig. 25. Localisation du point 34.

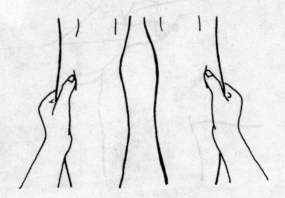

Fig. 26. Traitement du point 34.

traper sa jambe, en dessous du genou, avec la main opposée. Le pouce se trouvera derrière le genou, le bout du majeur passera par-dessus l'arête du tibia vers l'extérieur, s'appuyant ainsi juste sur le point. Pression avec le pouce ou le majeur dans le cas d'un automassage. Si elle est appliquée à notre partenaire, il nous faudra saisir son mollet avec tous les doigts de la main, pour donner plus de force au pouce.

35) Double. Situé à cinq Tsun au-dessus du bord intérieur de l'os de la cheville. Pression avec le pouce en s'agrippant, comme dans le cas antérieur, à la jambe pour renforcer la puissance du pouce.

36) Double. Trois Tsun au-dessus de l'os de la cheville, sur le bord externe du tibia. Pour le localiser, on pose le petit doigt sur la pointe de l'os de la cheville. Le point se trouve au lieu où se croisent le bord supérieur de l'index et le bord postérieur du tibia. Appuyer avec les pouces, de la même façon que pour les points antérieurs.

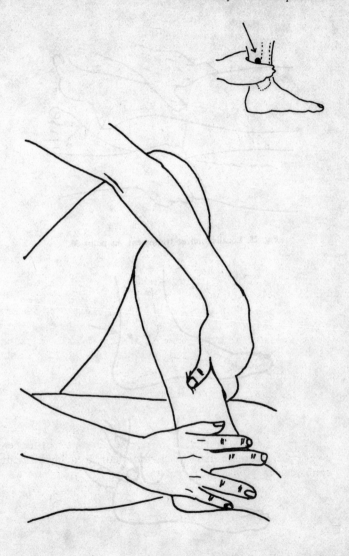

Fig. 27. Autotraitement du point 36.

Fig. 28. Localisation et traitement du point 36.

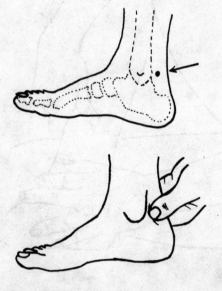

Fig. 29. Situation et traitement du point 38.

Fig. 30. Situation du point **40**.

37) Double. Situé à un Tsun en dessous et à un demi-Tsun derrière le point 36. Il est également situé à trois Tsun au-dessus du point 38. Presser avec le pouce, en entourant la jambe de la main.

38) Double. Environ à la moitié de la ligne horizontale unissant l'extrémité de l'os de la cheville et le tendon d'Achille. On sent un léger battement à l'endroit correct. Pression en pince.

39) Double. Situé dans un creux à un Tsun au-dessous du bord inférieur de la cheville. Pression en pince.

40) Double. Sur le cou de pied, entre le premier et le deuxième métatarsien. Deux Tsun au-dessus de l'espace interdigital.

41) Double. Dans l'angle externe de l'ongle du deuxième orteil, à deux millimètres environ de l'ongle. Pression pincée, avec le bout du pouce.

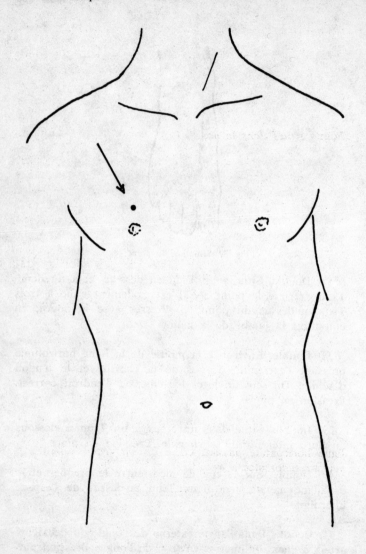

Fig 31. Situation du point 42.

Ping-Ai, le point de la rétention.

42) Unique. Point spécial utilisé seulement pour le sexe masculin. Situé à un Tsun au-dessus du sein droit. Pression verticale, forte, appliquée avec l'index et le majeur de la main gauche.

Points situés dans le dos.

Les points uniques sont sur la ligne médiane, qui coïncide avec la colonne vertébrale. Les points doubles sont disséminés symétriquement selon des lignes parallèles à la ligne médiane. Tous, sauf indication contraire, seront traités fortement avec les pouces et perpendiculairement au point.

43) Unique. Situé dans le creux entre la septième vertèbre cervicale et la première vertèbre dorsale.

44) Unique. Entre la première et la deuxième vertèbre dorsale.

45) Unique. Entre la cinquième et la sixième vertèbre dorsale.

46) Double. A trois Tsun de la ligne médiane. Situé sur la ligne horizontale passant entre les deuxième et troisième vertèbres dorsales.

47) Double. A trois Tsun de la ligne médiane, sur la ligne horizontale passant entre les neuvième et dixième vertèbres dorsales.

48) Double. A un Tsun et demi de la ligne médiane. Sur la ligne horizontale passant entre les neuvième et dixième vertèbres dorsales, à la même hauteur que le point 47.

49) Double. A un Tsun et demi de la ligne médiane. Situé sur la ligne horizontale passant entre les dixième et onzième vertèbres dorsales.

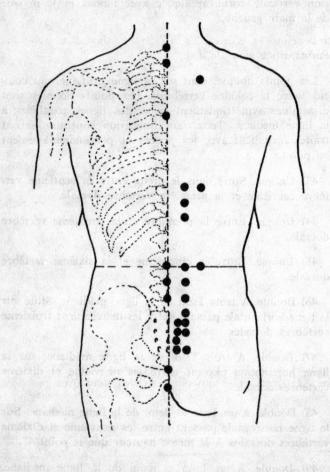

Fig. 32. Situation des points du dos.

50) Double. A un Tsun et demi de la ligne médiane, sur la ligne horizontale passant entre les onzième et douzième vertèbres dorsales.

51) Double. A un Tsun et demi de la ligne médiane, sur la ligne horizontale qui passe par le nombril (ligne de la ceinture), et entre les deuxième et troisième vertèbres lombaires.

52) Double. A trois Tsun de la ligne médiane. Situé sur la ligne passant par le nombril, le point 51 et l'espace entre les deuxième et troisième vertèbres lombaires.

53) Unique. Situé entre les deuxième et troisième vertèbres lombaires, à la même hauteur que les points doubles 51 et 52.

54) Unique. Entre les quatrième et cinquième vertèbres lombaires.

55) Double. A un Tsun et demi de la ligne médiane, sur la ligne horizontale passant entre les troisième et quatrième vertèbres lombaires, c'est-à-dire par le point 54.

56) Unique. Entre les quatrième et cinquième vertèbres lombaires.

57) Double. A un Tsun et demi de la ligne médiane, sur la ligne horizontale passant par le point antérieur et entre les quatrième et cinquième vertèbres lombaires.

58) Double. A un Tsun et demi de la ligne médiane, sur la ligne horizontale passant sous la cinquième vertèbre lombaire.

59) Double. A un Tsun et demi de la ligne médiane, sur la ligne horizontale passant par la première cavité du sacrum, sur un sillon vertical perceptible au toucher.

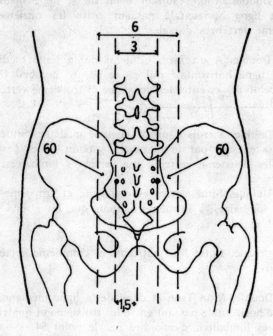

Fig. 33. Situation du point 60.

60) Double. A un Tsun et demi de la ligne médiane, sur la ligne horizontale passant par la deuxième cavité du sacrum, sur un sillon vertical perceptible au toucher.

61) Double. A un Tsun et demi de la ligne médiane, sur la ligne horizontale passant par la quatrième cavité du sacrum.

62) Double. Sur la première cavité du sacrum.

63) Double. Sur la deuxième cavité du sacrum.

64) Double. Sur la troisième cavité du sacrum.

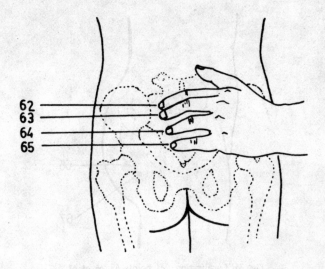

Fig. 34. Localisation des points 62, 63, 64 et 65.

65) Double. Sur la quatrième cavité du sacrum.

Pour localiser les points 62, 63, 64 et 65, on peut procéder de la façon suivante : placer l'extrémité de l'index à mi-chemin du point 59 et de la ligne médiane. Le bout du petit doigt s'appuiera sur la base du coccyx. En disposant les doigts intermédiaires à intervalles réguliers, chacun se trouvera nécessairement sur chacun des quatre points.

66) Unique. Sur la ligne médiane, à la jointure du sacrum et du coccyx.

67) Unique. Sur la ligne médiane. Dans le creux situé entre la pointe du coccyx et l'anus. Utiliser deux doigts pour exercer la pression dans cette aire.

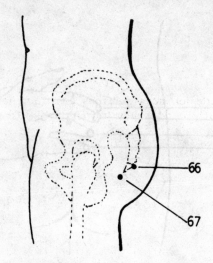

Fig. 35. Localisation des points 65, 66 et 67.

Les échiquiers secrets

Nous avons constaté dans la classification que nous venons d'établir que les points du tronc se répartissent entre le dos et la face du corps. Cette répartition revêt une forme spécifique, régie par une série de règles. A partir de ces dernières, il va nous être possible de relier les points par des lignes droites, obtenant de la sorte un treillis ou des figures caractéristiques. L'aspect de ces figures les fit appeler par les anciens : « échiquiers » ; ceux-ci distinguaient l'« échiquier yang » du dos de l'« échiquier yin » du devant du corps. Ces appellations ont toujours été employées non seulement pour distinguer les deux échiquiers mais aussi caractériser le type d'énergie qui y circule. Il existe un grand nombre de paires d'échiquiers, autant que de sortes de déséquilibres énergétiques. Cependant, celles que l'on utilise dans le cadre de la relation duelle sont aisément repérables. Cela est dû au tracé bien plus dense de la partie inférieure du dessin.

Certains échiquiers sont très complexes. D'autres sont simples et n'offrent qu'un quadrillage clair. Mais tous sont construits selon les mêmes normes. Ces normes, appliquées à la solution d'un problème, constituent une loi de formation, laquelle correspond à ce problème précis. En appliquant cette loi, nous pourrons construire les échiquiers. La seule chose dont nous aurons besoin, ce sera de connaître un petit nombre de points. Il nous suffirait même de n'en connaître qu'un seul. A partir de cette base infime, il est possible de construire les deux échiquiers. S'y trouvent représentés tous les points servant à corriger le déséquilibre énergétique dont nous parlions plus haut. Il ne nous restera qu'à choisir sur les échiquiers le « jeu », la tactique, c'est-à-dire la série de points considérée comme la plus adéquate, selon la personne qu'il nous incombera de traiter.

Tous les points d'une série peuvent ne pas se trouver sur les échiquiers. Très souvent, un traitement peut comporter des points situés sur la tête, aux mains et aux pieds. Parfois, même, on peut remplacer une série d'échiquiers par une autre, mais située aux extrémités. Cela dépend des maîtres. En général, ces points extérieurs sont considérés comme des ramifications des échiquiers, et c'est la même loi qui sert à établir les échiquiers qui va les régir. On les appelle les « points lointains ».

Les *normes* sont les règles servant à déduire les lois de construction des échiquiers. Si l'on connaît ces règles, on est à même de construire toute sorte d'échiquier, et donc de localiser les points dont on aura besoin. Il existe un secret sur l'origine des normes, secret que je suis autorisée à révéler. (Il n'en va pas de même pour les systèmes d'application des normes, qui ne sont accessibles qu'aux initiés du troisième degré, et que je ne découvrirai par conséquent pas ici.)

Les règles qui constituent les normes sont les mêmes que celles qui organisent et répartissent les portes du ciel,

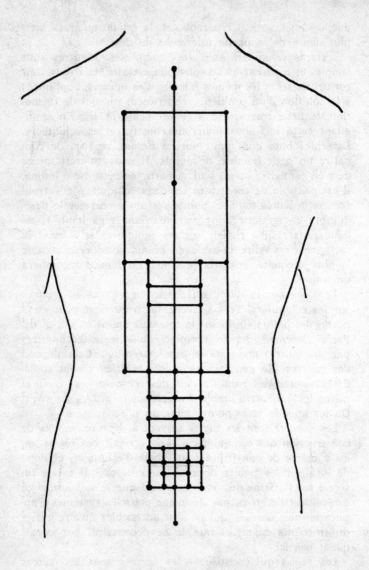

Fig. 36. L'échiquier secret yang.

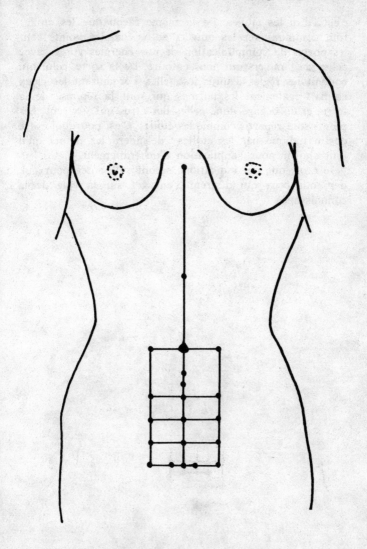

Fig. 37. L'échiquier secret yin.

c'est-à-dire les étoiles. De la même façon que les étoiles font communiquer les univers entre eux, les points sont les portes de communication de nos énergies vitales avec celles de l'univers qui nous entoure. De la sorte, celui qui connaît les règles d'après lesquelles s'organisent les cieux connaît également les normes qui sont la réponse de la terre, et en dégage donc celles des êtres qui y vivent. Les points sont répartis comme les étoiles. C'est pourquoi notre destin indiqué par les étoiles [5] désignera les points qu'il faut choisir pour l'application d'un traitement.

Je crois que ces indications seront suffisantes pour guider tous ceux qui désirent s'engager sur la voie de la connaissance.

---

5. L'auteur fait référence à l'astrologie. (*Note de l'éditeur.*)

Techniques de manipulation

Après que le néophyte connaîtra et saura localiser les points, il lui faudra apprendre les diverses techniques qui lui permettront de mettre en œuvre les énergies vitales.

Les sept principes de base

L'application des techniques de pression requiert en premier lieu qu'on se conforme à une série de principes que les maîtres de la tradition ont appelés les « sept principes de base ».

Ils n'ont, pour la plupart, rien d'ésotérique et n'importe qui, pourvu qu'il ait un peu de bon sens, peut en comprendre le bien-fondé. On trouvera ci-dessous l'énumération des sept principes détaillés plus bas [6].

6. Pour faciliter la lecture, on a résumé l'exposition de chaque principe. (*Note de l'éditeur.*)

Premier principe : Respecter les interdictions imposées par la tradition.

Deuxième principe : Le néophyte se limitera aux points indiqués, sans en ôter ni en ajouter aucun.

Troisième principe : Ne pas tenter de résoudre les problèmes graves, qui sont du ressort d'un médecin.

Quatrième principe : N'effectuer qu'un traitement à chaque fois, et ne pas le renouveler ou en exécuter un autre avant qu'un jour entier ne soit passé.

Cinquième principe : Ne pas clore un traitement de longue durée si l'on n'a pas observé d'effets positifs après avoir traité les trois premiers points.

Sixième principe : Respecter les indications de traitement de chaque point.

Septième principe : Eviter de traiter certaines zones du corps.

1. Les interdictions imposées par la tradition sont l'expérience accumulée au long des siècles par les meilleurs maîtres. C'est pourquoi il est important de les connaître à fond.

Les maîtres taoïstes ont élaboré, pendant des siècles, toute une série de règles, produit de leurs expériences directes. L'une des règles les plus anciennes dit : « Celui auquel on applique le traitement doit être débarrassé de toute sorte d'excitation. Il ne sera pas sous l'effet de l'alcool ou de la crainte. Les forces du ciel et de la terre seront apaisées. C'est alors seulement qu'on tentera de retrouver l'équilibre du flux du Ch'i. »

Toutes ces règles ou interdictions tendent vers les mêmes fins : faire que l'application du traitement réussisse et éviter tous les effets néfastes. C'est dans ce but que les traités classiques donnent toujours un tableau des empêchements ou interdictions à observer, comparable au tableau suivant :

Interdictions relatives aux personnes : On n'appliquera aucun traitement :

Aux femmes enceintes.

A ceux qui souffrent d'une maladie grave ou chronique (arthrite, cataracte, tumeurs, cancer ou maladies affectant le cœur, les poumons, le foie ou les reins).

Aux personnes qui ont de la fièvre.

A ceux qui souffrent de rhumatismes, de maladies de peau ou qui ont une fracture.

A ceux qui prennent un médicament chaque jour.

A ceux qui prennent des bains thermaux [7].

On appliquera le traitement, mais en respectant des intervalles suffisants pour permettre au patient de récupérer, en particulier chez les personnes qui :

Se trouveraient au terme d'un accès de colère, d'une émotion violente ou dans un état éminemment émotionnel, de souffrance, par exemple, ou d'agitation extrême accompagnée d'arythmie cardiaque.

Seraient prises de frayeur, soumises à une tension ou aux effets de l'alcool.

Auraient accompli un exercice violent, ou seraient en sueur et très échauffées. En général, aux personnes se trouvant dans un état d'épuisement ou de grande faiblesse, après s'être données à fond dans un effort mental ou physique [8].

On attendra au moins quatre heures si le sujet a bu ou s'il est sous l'action d'une drogue, s'il a pris un médicament, y compris des plantes médicinales [9].

On attendra deux heures après toute absorption de nourriture (quatre heures après un repas copieux, selon certains maîtres).

On attendra une demi-heure après avoir pris un bain chaud.

7. Les maîtres contemporains s'accordent pour déconseiller toute application aux personnes ayant subi au cours des derniers mois un traitement par radiothérapie ou par rayons X. (*Note de l'éditeur.*)

8. Il est également préférable d'attendre que se reposent les personnes qui ont effectué un voyage en avion avec changement de fuseau horaire. (*Note de l'éditeur.*)

9. Ou une simple aspirine. (*Note de l'éditeur.*)

Cependant, si le patient sur lequel doit être appliqué le traitement a faim, il lui faudra manger quelque chose, et l'on attendra dans ce cas une demi-heure seulement. Il ne convient pas de traiter un sujet dont l'estomac serait vide.

Interdictions relatives aux forces naturelles. Par rapport à l'aspect du ciel : on s'abstiendra de traiter lors de grandes perturbations atmosphériques, tempêtes, orages, grêle, vents violents, en cas de brusques changements de température, de températures extrêmes, très froides ou très chaudes, en cas de pluies torrentielles.

Pendant la pleine lune, pendant une éclipse, ou, si l'on se trouve au bord de l'océan, pendant la marée haute.

Quant à la situation de la terre : il existe trois endroits où il ne faut pas appliquer de traitement, au risque de nous voir affectés par les énergies négatives de la terre.

L'aire où s'est produit récemment un tremblement de terre ou une éruption volcanique. Ces deux phénomènes occasionnent des changements brutaux dans les énergies terrestres.

Les abords des lieux sacrés, où se croisent des courants telluriques.

Les puits ou tout ce qui s'en approche (les salles de bains, par exemple), à cause d'un flux important d'énergies négatives.

Nous devons éviter d'ouvrir les portes de notre corps à ces énergies négatives ; c'est le seul moyen d'empêcher des déséquilibres énergétiques graves. Il vaut mieux retarder un traitement plutôt que de l'effectuer dans de telles conditions.

Tous ces interdits, en rapport avec les forces naturelles, sont considérés également comme s'appliquant aussi à l'acte sexuel proprement dit. Ceux qui acceptent ces interdits, en rapport avec le ciel et la terre, verront augmenter leurs forces, et même s'ils ne dominent pas encore l'art duel, ils récupéreront bien avant leurs pertes énergétiques.

2. Le néophyte se limitera aux points indiqués. De cette

manière, il évitera, au cours d'une tentative incontrôlée, de traiter par hasard l'un des vingt-quatre points interdits. La pression de l'un quelconque de ces points peut causer de graves déséquilibres, pouvant aller jusqu'à la paralysie et même à la mort. C'est pourquoi il nous faut insister sur la nécessité de n'exercer la pression que sur les aires énumérées, qui sont sûres, même si le néophyte ne sait pas localiser exactement le point.

3. On ne se préoccupera pas des problèmes qui échappent au néophyte et qui sont clairement du ressort d'un médecin. En plus des cas graves cités dans les interdits traditionnels, chaque traité possède ses cas propres. Ici, comme de juste, les problèmes graves sont les cas sexuels qui peuvent écarter le néophyte de la pratique duelle. Dans ces cas précis, la pression peut soulager mais non guérir, comme cela se passe pour une impuissance primaire ou dans certains cas de frigidité. Le manque de résultats, à la suite d'une application correcte du traitement, ne peut que nous pousser à nous mettre en contact avec un bon médecin capable d'apporter une solution à notre problème.

4. Une des erreurs dans lesquelles donne souvent le néophyte est de répéter le traitement, ou d'en appliquer un autre, sans qu'un jour entier se soit passé. On porte préjudice alors non seulement au patient, mais encore, bien que dans une moindre mesure, à celui qui l'applique. Ce fait est aisé à comprendre lorsque l'on connaît le processus suivant le traitement. En agissant sur les points, nous produisons une amélioration de l'équilibre énergétique de l'organisme. Cependant, pour que les centres de contrôle assimilent le changement et l'acceptent, il faut que s'écoule un jour entier. De cette façon, si l'on renouvelle le traitement le jour suivant, il se crée une continuité dans l'équilibre énergétique permettant d'obtenir des résultats de longue durée. Ne pas savoir attendre le minimum de temps nécessaire et suffisant produit dans l'organisme un état de confusion pouvant amener un déséquilibre encore plus important que celui qui préexistait. Et c'est là un évident

préjudice porté à celui qui subit le traitement, ainsi qu'à celui qui opère. N'oublions pas que tous deux sont en contact énergétique pendant toute la durée du traitement.

D'autre part, dans le rapport sexuel — qui s'effectue dans le prolongement du traitement — le néophyte parvient généralement à l'éjaculation, ce qui provoque une perte notable d'énergie, perte que même les jeunes gens ne peuvent se permettre plus d'une fois par jour. Pour cette même raison, on n'appliquera jamais le traitement après le coït, même s'il s'agit du premier traitement au cours des dernières vingt-quatre heures.

5. La même logique nous recommande d'abandonner un traitement qui ne commence pas à donner des résultats après qu'ont été traités les trois premiers points. Il est évident qu'il n'est pas recommandable de tenter de réorganiser notre énergie vitale selon un schéma qui ne nous fait aucun bien. Rappelons-nous que la réaction produite par la majorité des points est instantanée dès lors que le traitement est adéquat.

6. L'obligation de respecter au pied de la lettre les indications sur le mode de traitement de chaque point est évidente, surtout si l'on tient compte de ce qui a été signalé au second principe. Seuls les maîtres ont le pouvoir d'introduire des variantes.

7. Le dernier principe nous amène à considérer la nécessité d'éviter de traiter certaines aires du corps humain. Si le point à traiter s'y trouve, il est préférable d'adopter un autre traitement dans lequel il ne serait pas inclus.

Il existe diverses raisons à cette restriction. Les deux plus importantes sont celles qui tiennent compte de l'état de la peau et de l'obligation qu'il y a de ne pas appuyer sur certains organes.

L'état de la peau peut être temporaire, comme dans le cas d'une dermatose. Il suffira alors d'attendre que l'état inflammatoire, ou la contusion, soit résorbé pour appliquer le traitement. Une petite blessure, ne laissant pas de cicatrice, permettra de traiter le point une fois guérie. Mais s'il existe une verrue, un grain de beauté, une cicatrice, une veine variqueuse, il ne faudra pas exercer de pression, ni dessus, ni dans la proximité immédiate.

Il ne faudra pas non plus exercer de pression sur les seins de la femme. Il ne faudra donc pas tenter de traiter le point Ping-Ai (point 42) chez une femme. En fait, ce point est utilisé pour retarder ou éviter l'éjaculation, il est donc utilisé seulement chez les hommes ; il est en général autotraité.

Préparation préliminaire aux applications

Dans toute application existent deux pôles. L'un, actif, effectue la pression, et l'autre, passif, reçoit cette pression. Le pôle passif reçoit la pression et l'énergie par les points. Le pôle actif transmet la pression et l'énergie à travers tout le corps, en particulier les mains et les doigts. Dans toute préparation préliminaire, il faudra tenir compte de celui qui applique le traitement et de celui qui le subit. Mais n'oublions jamais les soins particuliers que requièrent les mains, ainsi que leur mise en condition énergétique.

Qualités indispensables à qui applique le traitement.

Pour que les résultats soient plus probants, la personne qui appliquera la pression devra être tout à fait relaxée et sereine. En nous concentrant sur ce que nous faisons, nous nous sentons plus sûrs de nous et nous transmettons cette assurance à notre partenaire. Il est préférable que celui qui applique la pression possède le meilleur équilibre énergétique des deux. Surtout s'il s'agit d'effectuer un traitement contre l'impuissance ou la frigidité. Evidemment, si aucun des deux protagonistes n'a de problème majeur, si ces derniers sont secondaires, ils pourront se traiter mutuellement.

L'absence de problème désigne un rapport ignorant les échecs pour cause d'éjaculation précoce, impuissance ou frigidité. Dans ce cas, le traitement s'orientera vers la stimulation érotique qui élèvera le niveau des rapports postérieurs. Il peut être utilisé également pour éliminer la fatigue.

Si un seul des partenaires n'a pas de problème, il appliquera le traitement à l'autre, et lui seul, et ne le subira jamais. Très souvent, la situation des points facilite l'auto-traitement, mais il est toujours préférable d'être traité par son partenaire.

Un état de faiblesse quelconque doit faire supprimer tout traitement.

Attitude du sujet recevant le traitement.

Si dans le cas antérieur la personne donnant le traitement se voyait exiger une relaxation complète et la plus grande attention à son activité, ici, le sujet devra adopter une attitude de réceptivité absolue. Son unique contribution sera une complète passivité. Cette dernière permet non seulement une meilleure localisation des points, mais aussi une plus grande réceptivité de l'énergie vitale transmise. L'attitude passive et relaxée empêche la formation de la typique « cuirasse » musculaire qui rend si difficile la localisation des points. D'autre part, l'attitude yang de celui qui applique le traitement est complétée par la passivité yin de celui qui le subit, donnant naissance alors à un rapport de niveau émotionnel améliorant les résultats finaux. Une attitude de confiance dans les résultats est également très positive au niveau de l'application. Si le traitement est correctement appliqué, le patient en bénéficiera de toute façon, alors même que son attitude de départ était indifférente ou sceptique.

Une respiration régulière et calme, dans un milieu ambiant de température agréable, aidera à obtenir une parfaite décontraction. Lorsque l'on va se soumettre à un traitement, surtout s'il s'agit de la première fois, il est bon d'avoir pris un bain chaud une demi-heure auparavant. Il vaut mieux également être allongé, c'est là la meilleure position en vue du traitement, et aussi éviter d'avoir froid, non seulement parce que se forme alors la fameuse cuirasse musculaire, mais aussi à cause des conséquences négatives du point de vue énergétique. Il est donc préférable d'être à demi vêtu, si l'on craint d'avoir froid [10].

Un dernier conseil s'adressera à celui qui va appliquer le traitement : pour se rendre compte de l'état de relaxation, il faut mesurer le rapport existant entre la respiration et les battements du cœur. Il suffit de prendre le pouls et d'observer le rythme respiratoire. Le rapport indiquant un état relaxé est de 1 à 5, soit cinq battements pour une respiration complète.

La préparation des mains.

Tous les types de massages impliquent une préparation préliminaire des mains qui vont se livrer à cette activité.

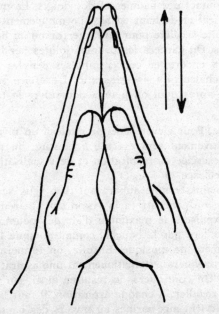

Fig. 38-a. Premier exercice de préparation des mains.

10. Il est important que les vêtements soient en fibres naturelles, telles que le coton, les fibres synthétiques ne favorisant pas la circulation du flux d'énergie vitale. (*Note de l'éditeur.*)

Les traitements par pression n'échappent pas à ces prémisses, il faudra même aller plus loin et ne pas négliger les exercices qui vont suivre.

Les mains doivent être chaudes et sèches, les ongles soigneusement taillés. Il ne sera pas inutile, de plus, de pratiquer certains exercices dans le but de les rendre plus fortes.

Il sera aussi important d'augmenter le flux énergétique des mains. C'est dans cette intention que nous indiquons les deux exercices suivants :

Premier exercice. Il consiste simplement à se frotter les mains. On les élèvera alors devant le visage (fig. 38-a), paumes unies, coudes levés et bouts des doigts à hauteur des yeux. On frottera les mains sans les plier et sans jamais interrompre le contact des paumes et des doigts. Le mouvement sera vertical et de haut en bas. Le mouvement de friction sera ensuite accéléré pour être interrompu au bout de vingt secondes. On gardera les paumes jointes pendant quelques secondes encore, en concentrant ses pensées sur la sensation de chaleur intense ressentie. L'exercice sera répété deux fois, après quoi on pourra poursuivre le traitement.

Second exercice. Pour élever l'énergie vitale à un niveau supérieur, ce mouvement sera exécuté à la suite du précédent. C'est un exercice de respiration et de visualisation, aussi simple qu'efficace.

On place les mains comme auparavant. Les yeux seulement entrouverts, on concentrera la vision sur l'extrémité des doigts. On expulsera le maximum d'air des poumons. Pour cela, on soufflera par la bouche, comme lorsque l'on joue d'un instrument de musique. Ensuite, on fermera la bouche, ce qui provoquera automatiquement une aspiration d'air par le nez. On continuera de respirer ainsi, sur un rythme calme et régulier. A chaque aspiration, il faut imaginer que l'air parvient aux narines au travers des paumes des mains, qui resteront jointes. A l'expiration, on imaginera qu'il passe entre les paumes, entrant cette fois par

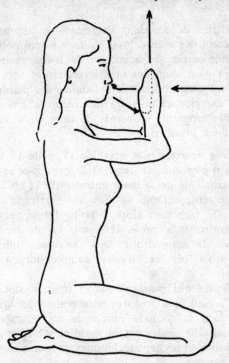

Fig. 38-b. Deuxième exercice de préparation des mains.

la base des mains et sortant par l'extrémité des doigts
(voir fig. 38-b).

Ce type de respiration contribue à la relaxation de tout
l'organisme et augmente l'énergie vitale accumulée pendant
l'exercice antérieur. Si on la pratique pendant quinze minutes, on arrive à percevoir la vibration de l'énergie dans
les mains. Mais même si l'on pratique moins longtemps,
elle donnera toujours de meilleurs résultats au traitement
par pression.

La pratique du premier de ces exercices est suffisante
pour commencer un traitement, mais il est pourtant préférable de faire les deux pour obtenir une meilleure transmission énergétique.

La maîtrise de ces deux exercices ne dispense pas du renforcement des mains. Pour traiter un seul point, il n'est pas besoin, certes, de beaucoup de force, mais pour un traitement plus long, des mains résistantes sont indispensables. Pour obtenir force et résistance des mains, il existe un .vieil exercice chinois qu'on exécutera trois fois par jour, à des moments différents de ceux où seront accomplis les deux premiers.

Troisième exercice. Cet exercice s'appelle la « griffe du tigre » et il s'exécute en tendant le bras gauche en avant, en saisissant l'air de la main entrouverte et en la fermant immédiatement, comme si l'on avait attrapé une proie invisible. On ramènera alors le poing fermé vers la taille, comme traînant la proie vers soi. Le mouvement sera répété avec la main droite. Deux secondes suffiront pour exécuter trois fois cet exercice, complet lorsqu'on le fait trente fois.

Les adeptes qui pratiqueront et maîtriseront ces trois exercices seront bien préparés pour réaliser les applications décrites dans la seconde partie de cet ouvrage, surtout s'ils connaissent également la manière d'ouvrir et de fermer les points et les sept techniques de manipulation décrites plus bas.

Tonifier ou disperser les énergies

Lorsque l'on agit sur les points, il ne faut jamais oublier qu'ils sont nos portes de communication avec le Tao. Nous devrons donc toujours connaître le moyen d'ouvrir ces portes pour récupérer ainsi l'équilibre énergétique quand nous nous mettons en contact avec le grand Tout.

Etant donné qu'il existe plusieurs niveaux dans l'organisme, il arrive parfois que certains recèlent un excès d'énergie accumulée, tandis que d'autres en présentent une certaine carence. Il est dit dans le *Nei Ching* : « Le déséquilibre se manifeste par une situation de vide ou par une situation d'excès. La première doit être traitée en tonifiant et la deuxième en dispersant les énergies intérieures. »

Il y a donc deux systèmes pour retrouver l'équilibre énergétique. Dans le premier est dispersé l'excès d'énergie des niveaux pléthoriques : certaines portes seront ouvertes et ces énergies se déverseront vers l'extérieur. Dans le second, en ouvrant d'autres portes, on attirera les énergies qui nous entourent pour tonifier énergétiquement les niveaux carencés. Cette méthode de tonification est plus simple que la précédente et ne requiert pas de connaissance très avancée. C'est celle qui sera utilisée dans cet ouvrage.

Bien que plus simple, elle entraîne certains risques qu'il est cependant aisé de contourner.

Le risque le plus courant est une dévitalisation provoquée par l'application de la tonification à une personne souffrant d'une forte carence énergétique. Ce problème apparaît à l'ouverture des portes de notre partenaire. Un processus de captation d'énergie se met alors en place, proportionnel au déséquilibre énergétique. Même s'il n'existe pas de problèmes à un niveau normal de carence énergétique, lorsqu'il y a un grand vide chez notre partenaire, nous pouvons perdre une quantité élevée d'énergie. Le signal d'alarme nous sera donné par la sensation de fatigue ressentie après un traitement de tonification. Si cette sensation ne disparaît pas au bout de quelques minutes, c'est qu'il s'est produit un phénomène de perte d'énergie vitale. Si ce fait se reproduit le jour suivant, il faut envisager la nécessité de faire appel au médecin acupuncteur qui corrigera le déséquilibre. Il n'est pas besoin d'ajouter que tant qu'est ressentie cette fatigue, il faut s'abstenir de pratiquer le culte duel et toute forme de rapport sexuel.

C'est un problème peu courant, mais dont la solution est aisée. Parfois, l'abstinence mutuelle de quelques jours suffit à rétablir l'équilibre.

Les principales méthodes de tonification sont les suivantes :

Exécuter du doigt sur le point des tours continus et rapides dans le sens des aiguilles d'une montre. La pression augmente de façon progressive jusqu'à parvenir à son degré maximal. A partir de ce moment, elle doit cesser brusquement. Le doigt reste sur le point. Ainsi, on protège la porte, en lui donnant le temps de se fermer sans laisser s'échapper l'énergie accumulée. Le traitement est de courte durée, moins de deux minutes par point, la pression étant appliquée au cours de l'expiration. Au commencement de la respiration suivante, on arrête le mouvement, mais on maintient le degré de pression auquel on est parvenu. Certaines écoles opèrent la pression dans le même sens que celui de la circulation du flux énergétique.

On utilise parfois un système additionnel employant deux doigts en même temps. Une fois que le point a été repéré, on place les index de chaque côté de ce dernier. La pression s'exécute en rapprochant en même temps les extrémités des doigts. On verra se plisser la peau sur le point. On multiplie alors ce mouvement de façon rapide et continue, en exerçant une forte pression.

La tonification se fait par le biais d'une série de manières d'opérer une pression sur les points, dont nous décrivons ci-dessous la technique.

Manières d'opérer la pression

Il existe deux systèmes pour agir sur les points. L'un est direct ou naturel, l'autre fait usage d'instruments.

Le système direct ou naturel.

Dans ce système, la personne qui applique le traitement utilise certaines parties de son corps pour exercer la pression sur les points de son partenaire. C'est celui qui est utilisé lors de l'apprentissage, mais certains maîtres aussi en font un usage exclusif. Quand on désire appliquer ce traitement avec précision, sur des points déterminés, on emploie le bout des doigts ou les jointures. Pour un traitement plus général, on se sert de zones plus larges, comme les poings, par exemple, la paume des mains, les coudes, etc. On traite de la sorte des groupes de points, ou bien l'on fait des massages.

L'utilisation d'instruments.

Les systèmes comportant des instruments ou des aides mécaniques exigent l'habileté d'un véritable adepte, et le néophyte s'en détournera donc. Pour utiliser ces compléments, il est en premier lieu indispensable de connaître à fond les techniques du système direct. Il faut ensuite suivre une formation spéciale avec un maître. Lorsque l'on mérite l'approbation de celui-ci, il est possible d'utiliser l'instrument, construit par le maître en personne. Ce dernier va l'offrir au disciple pour lui indiquer qu'il peut commencer sa pratique.

Certains de ces instruments sont employés pour renforcer le traitement de la méthode directe. D'autres remplacent toute sorte de traitement. Je vais décrire maintenant cinq de ces instruments.

En premier lieu, il faut citer les plaques d'or et d'argent. Ces plaques, rondes et très minces, sont posées sur les points que l'on désire traiter et maintenues en place par des bandes de soie ou de coton. L'or est utilisé pour tonifier et l'argent pour disperser.

On trouve en second lieu les pièces arrondies, semblables à des pièces de monnaie, de pierre polie. On en frotte le bord sur le point.

En troisième lieu, les baguettes, identiques à celles dont on se sert pour manger, mais à la pointe plus large et arrondie, sont employées sous deux formes. On peut en appuyer tout simplement l'extrémité sur le point. La baguette devient ainsi la prolongation du doigt. On peut également en frotter le point et l'aire qui l'entoure.

Nous avons aussi d'autres baguettes, terminées par une petite boule de quelque six millimètres de diamètre. Elles sont faites de bois ou d'ivoire, comme celles que nous évoquions plus haut, mais on peut en trouver d'ambre ou d'autres matériaux encore. Pour les utiliser, on en frotte la boule terminale sur une étoffe de soie. Puis on interrompt brutalement cette opération et l'on approche aussitôt la boule du point, mais sans le toucher. Selon ce qu'affirment les textes anciens, c'est là la façon la plus efficace d'ouvrir les portes.

En cinquième et dernier lieu figurent les pinceaux métalliques. Les poils de martre ont ici été remplacés par des fils métalliques extrêmement fins. On doit passer le pinceau très vite sur le point — il faut compter cent cinquante à deux cents oscillations par minute — pour voir sur le champ l'aire du point rougir fortement. Il peut arriver que des personnes se trouvant dans un état de grande faiblesse connaissent alors une brusque montée de température, considérée comme un bon symptôme.

Il existe bien d'autres instruments, sans compter l'infinie variété des aiguilles. Certains de ces instruments ne sont connus que d'un petit nombre d'adeptes. D'autres ne sont transmis que du maître au disciple qui va le remplacer. C'est ainsi qu'avec l'extinction d'une école disparaissent beaucoup de ces instruments.

Les sept techniques

Pour être capables d'appliquer le système direct, il faut connaître la série de pratiques nommée par la tradition « les sept techniques ». En elles sont résumées toutes les connaissances indispensables pour réussir les traitements. La pratique des techniques nous permettra de contrôler le temps et la pression, de choisir une méthode de traitement, d'appliquer la pression selon l'angle juste, de savoir comment utiliser les mains et, finalement, d'apprendre à discerner quand nous parvenons à un résultat et quand circule le ch'i.

Première et deuxième techniques. Ces deux techniques sont expliquées ensemble car, bien que formées d'éléments différents, elles forment une seule unité.

Les deux facteurs fondamentaux agissant sur les points sont la force avec laquelle nous exerçons la pression et la durée pendant laquelle nous allons l'exercer. Ces deux aspects forment les première et deuxième techniques.

Pour activer un point, il nous faudra employer les deux

facteurs, en tenant toujours compte des lois de l'équilibre. Plus nous nous servons de l'un, plus l'autre devra être laissé de côté. C'est-à-dire que la durée de la pression sera d'autant plus courte qu'elle sera forte, et vice versa. Si la pression est maximale, un coup par exemple, nous ne l'exercerons qu'en un temps minimal, soit quelques dixièmes de seconde. C'est la technique des systèmes de lutte, où l'on frappe un point pour immobiliser l'adversaire. Cependant, la pression forte sur une période de trois minutes ne produit qu'un effet de relaxation. Si, au contraire, nous n'appliquons qu'un minimum de pression, on peut aller jusqu'à une demi-heure de traitement pour obtenir des effets similaires à ceux que nous obtenions auparavant en trois minutes. Ces données nous indiquent qu'il ne faut jamais recourir à des situations extrêmes dans les traitements. L'idéal est d'appliquer un traitement rapide par forte pression, avec lequel nous obtiendrons l'effet tonifiant approprié.

Le principal problème pour réussir dans l'application de ces deux techniques réside dans le facteur force. Cela est dû à la difficulté de maintenir ce facteur à des niveaux acceptés par tous. On divise couramment en trois degrés la force avec laquelle nous allons exercer la pression : forte, moyenne, douce. Mais ces termes ont une signification différente selon la personne qui les utilise. Nombre d'écoles préfèrent une pression constante et en varier l'intensité en augmentant ou en diminuant la surface de contact. C'est-à-dire que si l'on utilise l'extrémité d'un seul doigt, la pression sera plus intense que si l'on utilise deux ou trois doigts ensemble. Ce parti pris est excellent dans la mesure où l'on tiendra compte toujours de la force du membre avec lequel la pression sera appliquée. Elle sera plus forte avec le pouce, même si sa surface de contact est plus grande que celles des autres doigts. En considération des deux facteurs, nous développons plus de force avec la jointure du majeur. Ensuite, et par ordre décroissant, on trouve la jointure de l'index, l'extrémité du pouce, celle du majeur et celle de l'index. Pourtant, dans la pratique, on préférera le pouce pour presque toutes les applications.

Si l'on désire exercer une force moindre sur un point, on emploie l'index et le majeur conjointement, et parfois même l'index, le majeur et l'annulaire. En général, on place l'extrémité du majeur sur le point à traiter.

Ces diminutions de pression, dans lesquelles deux ou trois doigts remplacent le pouce, sont utilisées pour traiter les points de la partie frontale du corps. Il faut faire très attention lorsque l'on traite ces points particuliers, situés sur des organes sur lesquels on n'appuiera pas fortement. Le point le plus délicat est le point 26, qui se trouve à une profondeur plus grande que les autres. Cela implique un difficile équilibre entre la pression indispensable pour parvenir à le stimuler et celle qui pourrait bien léser l'aire.

Les extrémités et les épaules peuvent être traitées avec les pouces, sauf indication contraire. Ce sont des aires disposant d'un fort soutien osseux, qui autorisent donc une pression vigoureuse.

Le secret de l'équilibre entre pression et durée de cette pression est simple. Il suffira d'appliquer toute la force que pourra supporter notre partenaire sans douleur. En échange, on peut réduire le temps à moins de deux minutes. La technique de Wu Shang Sheng, comme celle d'autres grands maîtres, consiste à compter lentement jusqu'à cent huit tandis que l'on applique la pression sur le point.

Troisième technique. Elle s'applique aux diverses méthodes de pression, regroupées en deux branches principales.

Dans la première, on exerce la pression sur un mode alterné. Le doigt s'écarte du point sur un rythme continu. C'est ainsi que se sont développées les méthodes suivantes :

a) La méthode du petit marteau. Elle consiste à opérer un martèlement rythmique et continu sur le point. On utilise ici l'extrémité du majeur, en frappant de haut en bas pendant trois minutes environ. C'est une technique revitalisante produisant une montée de température. Elle est utilisée chez les personnes malades ou affaiblies.

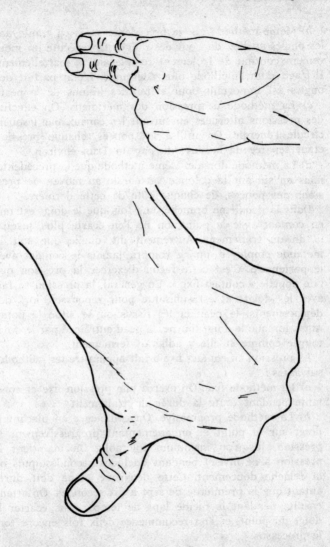

Fig. 39. Les deux façons les plus courantes d'exercer la pression.

b) Même méthode que la précédente, mais en employant les ongles au lieu du bout des doigts. On exécute un mouvement continu de frôlement remplaçant le martellement. Il s'agit d'une méthode plus énergique. L'état parfait des ongles est important pour éviter des lésions de la peau.

c) La méthode de pression des méridiens. On effectue des pressions alternées en suivant les canaux par lesquels circule l'énergie. On utilise les pouces, chaque pression étant séparée de la suivante par un Tsun environ.

d) La méthode dorsale. Même méthode que la précédente, mais en suivant la colonne vertébrale au moyen de pressions des pouces, de chaque côté de cette dernière.

Dans la deuxième branche, une fois que le doigt est mis en contact avec le point, on ne l'en écarte plus jusqu'à la fin du traitement. Autrement dit, quelle que soit la méthode employée, on ne rompra jamais le contact avec le partenaire. C'est cette façon d'exercer la pression que l'on appelle « contact fixe ». En général, la pression se fait avec les doigts et est suffisante pour repousser, lors des déplacements, la peau et les tissus où se situe le point. Ainsi, lorsque le doigt tourne, la peau entraînée par le doigt tourne comme si elle y adhérait fermement.

La pression en contact fixe a fait apparaître les méthodes suivantes :

a) La méthode fixe. On exerce une pression fixe et constante pendant toute la durée du traitement.

b) La méthode progressive. On commence en plaçant le doigt sur le point et en augmentant progressivement la pression, jusqu'au maximum tolérable. On maintient la pression à ce niveau pendant quelques secondes, puis on la relâche doucement. Cette deuxième étape doit durer autant que la première : de sept à dix secondes. On attend ensuite pendant le même laps de temps, sans écarter le doigt du point, et l'on recommence deux fois encore tout le processus.

c) La méthode circulaire. On applique la pression par l'intermédiaire de mouvements circulaires effectués du bout du doigt. C'est la méthode classique de tonification. (Voir, pour une explication plus détaillée, page 72 : *Tonifier ou disperser les énergies.*)

d) La méthode « appuyer-relâcher ». Utilisée parfois pour accompagner la méthode antérieure. On appuie avec le pouce, en parvenant le plus vite possible au niveau maximal de pression. Immédiatement, cette dernière est relâchée tout aussi vite, sans que jamais les doigts ne s'écartent de la peau. Cette méthode, utilisée surtout aux extrémités et à la tête, fait partie des techniques de tonification.

Quatrième technique. Il s'agit ici des angles selon lesquels on peut exercer la pression. En général, celle-ci s'exerce perpendiculairement à la peau. Parfois, cependant, un autre angle est choisi, pour mieux localiser le point ou exercer sur lui une meilleure pression.

Cinquième technique. Cette technique détermine les différentes manières d'effectuer la pression sur les points avec les mains selon la situation du point.

Les points situés sur le corps sont traités par pression directe, au moyen d'un ou de plusieurs doigts. Il nous est possible, parfois, de nous aider du poids de notre propre corps.

Pour les points situés sur les extrémités existe ce que l'on appelle « méthode de préhension » : avec les mains, on saisit les membres pour exercer une meilleure pression des pouces.

Pour les points situés sur les mains, les pieds, les poignets, les chevilles, on peut appliquer le système de la pince. Il suffit pour cela de placer le pouce sur le point, l'index et le majeur derrière le membre. On se sert ensuite de ces doigts comme d'une pince.

Sixième technique. C'est celle qui tient compte du rythme, en rapport avec la manière d'appliquer le traitement. On a ici le choix entre deux partis, selon que l'on s'attache à l'ordre d'application ou au processus respiratoire.

Quand on applique le traitement sur les points doubles,

il convient de suivre un ordre déterminé. Cet ordre consiste à traiter, quelques secondes avant, le point du côté droit. On terminera donc avant le traitement sur ce point. Dans le cas d'un autotraitement, si l'on ne peut traiter ensemble les points doubles, on appliquera la pression d'abord sur le point droit et ensuite seulement sur le gauche.

Quant au processus respiratoire, on garde généralement un rythme de type tonifiant, en augmentant la pression au moment de l'expiration.

Septième technique. C'est celle qui nous enseigne à connaître le moment où notre partenaire a atteint le ch'i lors du traitement. On dit que l'on a atteint le ch'i lorsque, grâce au traitement, l'énergie vitale circule de façon correcte. Lorsque le corps est bien tonifié, une série de sensations se concentrent autour du point. Dans certains cas, il s'agira d'un engourdissement de l'aire traitée. D'autres peuvent percevoir de petites secousses électriques, une irritation ou des fourmillements. Ce sera parfois une bouffée de chaleur ou une poussée de température, en particulier en cas de traitement du point 34. Il peut arriver aussi que la sensation s'étende au-delà du point et de son aire la plus proche, en particulier au point 17. Le traitement adéquat de ce point stimule les organes génitaux. De toute façon, la sensation ne dure pas longtemps. Elle est pourtant l'indice le plus sûr d'une application correcte.

Il est donc important de demander, dès le début du traitement, si une réaction est perçue par la personne sur laquelle nous exerçons la pression. Ces sensations nous permettent de contrôler non seulement l'arrivée du ch'i mais encore si nous sommes bien en train de traiter le point de façon appropriée.

D'autres indices nous permettent de nous rendre compte du succès de l'opération. En premier lieu, nous pouvons percevoir directement nombre de réactions ressenties par notre partenaire. En second lieu, si la pression est exercée au bon endroit, nous devons sentir un changement des tissus, claire indication que nous sommes en train d'ouvrir les portes. A un degré plus avancé, il suffira de placer le doigt sur le point et d'attendre le signal indiquant que le contact est établi. Nous ne pouvons le saisir que si nous sommes complètement détendus. Ce signal est si ténu, si subtil qu'on ne peut le définir, mais nous le reconnaissons sans aucune ambiguïté dès que nous le ressentons. On peut dire qu'il crée une attitude subjective. Nous pouvons alors exercer la pression.

Ces techniques apprises, le moment est arrivé de les appliquer pour recouvrer l'équilibre énergétique perdu. Ce n'est que sous cette forme que nous pourrons réaliser correctement la pratique duelle.

Deuxième partie

Applications

Les cinq groupes

La finalité des applications est le perfectionnement de la capacité sexuelle du (de la) partenaire. De cette manière, on parvient à une pratique duelle efficace.

Les techniques décrites dans les pages antérieures peuvent être utilisées en cinq groupes distincts de traitements, chacun apportant un soulagement ou une solution à un problème différent. Le nom attribué à ces groupes définit clairement le problème que l'on se propose de résoudre :

ELIMINER LA FATIGUE
STIMULER LA PUISSANCE SEXUELLE
CONTROLER L'EJACULATION
COMBATTRE L'IMPUISSANCE
SUPPRIMER LA FRIGIDITE.

Chaque groupe possède un nombre variable d'éléments ou d'applications. On commence toujours par l'application d'un seul point, on continue avec d'autres plus complexes, pour en finir avec celles traitant jusqu'à une douzaine de points. Logiquement, il faut commencer en ne traitant qu'un seul point. Si l'on obtient des résultats satisfaisants, on peut se passer des autres ; dans le cas contraire, il faut attendre au moins vingt-quatre heures avant d'entreprendre une autre application. Si l'on effectue une application recouvrant plusieurs points, il n'est pas utile de les traiter tous si l'on observe des résultats immédiats, et l'on n'ira pas au-delà de trois points si l'on ne constate aucun résultat positif.

Etant donné que ces applications sont le prélude à la pratique duelle, il faut que les deux participants soient de sexes opposés. Si la pratique duelle suit l'application, l'une et l'autre seront réalisées par les mêmes protagonistes.

Nous allons maintenant résumer les techniques exposées dans la première partie de cet ouvrage. Nous pensons qu'il sera de la sorte plus aisé de réaliser ensuite les applications. Un schéma, simplifiant encore ce résumé, introduira chaque groupe d'applications et donnera une vision générale de l'ensemble des techniques.

On a signalé par un astérisque (*) les techniques dont le néophyte peut se passer dans un premier temps, mais qu'il lui sera toujours nécessaire d'introduire dès qu'il aura acquis plus d'expérience.

Résumé des techniques de manipulation

PREPARATION

Il est fondamental qu'existe entre les partenaires un minimum d'affects ou d'intérêt se réalisant dans la pratique duelle et que soit ainsi évitées la frivolité et la curiosité non transcendante.

1. Tenir compte des sept principes de base (voir page 62). Ne jamais pratiquer sur des femmes enceintes ou sur des malades ; retarder le traitement jusqu'au complet rétablissement des sujets présentant un mauvais état physique ou

émotionnel, ainsi que dans le cas d'ingestion d'aliments ou de boisson, ou dans une situation de déséquilibre des forces naturelles. Il faut se limiter de même aux points signalés dans l'application et respecter les indications sur la façon de traiter chaque point, ne pas tenter de résoudre des problèmes dépendant seulement de la compétence d'un docteur, n'effectuer qu'une seule application par vingt-quatre heures, éviter certaines parties du corps lors du traitement, telles que les seins de la femme et les régions de la peau affectées de lésions.

2. Effectuer la préparation liminaire à l'application (voir page 67). Il faut que les deux partenaires soient parfaitement détendus, qu'ils respirent doucement, rythmiquement, régulièrement. La personne qui subira le traitement adoptera une attitude de totale passivité. Les personnes se trouvant dans un état de faiblesse ou de grande fatigue ne subiront ni n'appliqueront le traitement.

3. Préparer les mains (voir page 70). Il suffira de les frotter, comme dans le premier exercice, pendant vingt secondes, et de recommencer deux fois encore.

* Compléter la préparation des mains avec le deuxième exercice (voir page 70).

4. Localiser les points (voir à partir de la page 20). Il suffira pour cela d'utiliser le système indiqué à chaque point de l'application.

* Compléter le système de localisation avec la méthode de friction (voir page 26).

MANIPULATION

1. On commence le traitement en plaçant le doigt avec lequel sera effectué le traitement sur le point. On le garde dans cette position quelques secondes avant de commencer réellement l'application. C'est sous cette forme que s'établit la connexion énergétique, qui domine le rejet initial

que l'énergie d'un autre corps produit automatiquement (voir page 83). Ce contact ne doit être interrompu à aucun moment du traitement.

2. Il faut se concentrer ensuite sur l'aire située entre les points 15 et 17. C'est celle que l'on nomme la « porte originelle de l'océan du ch'i », et nous devons la visualiser comme telle, une immense réserve d'énergie vitale à notre disposition. Une fois concentré sur cette aire, nous visualiserons le ch'i comme un flot d'énergie se dirigeant vers l'extrémité de nos doigts. Cette énergie passera dans notre partenaire par l'intermédiaire du point. On augmente ainsi le flux de ch'i, en détruisant les digues qui emprisonnent l'énergie vitale.

3. Appliquer une forte pression du pouce, perpendiculairement à la peau, sauf si une autre direction est indiquée dans l'application correspondante. Maintenir la pression en comptant lentement jusqu'à cent huit, tandis que l'on fait tourner le doigt dans le sens des aiguilles d'une montre. On conservera la même pression et un mouvement constant tandis que la personne traitée expulsera l'air contenu dans ses poumons. Au moment de l'inspiration, on maintiendra la pression alors que cessera le mouvement.

4. Une fois le traitement terminé, pression et mouvement cesseront, mais le contact entre le doigt et le point ne sera pas rompu pendant quelques secondes encore. Nous donnerons ainsi le temps au point de se refermer.

5. Vérifier que notre partenaire a bien recouvré le ch'i (voir page 82). Il est important mais pas indispensable d'obtenir le ch'i. Si nous ne parvenons pas à percevoir l'arrivée du ch'i mais que notre partenaire se sente relaxé (e), nous pouvons passer à la pratique duelle.

6. Pour parvenir à la relaxation, il faut attendre quelques minutes avant de commencer la pratique duelle. Les partenaires se concentreront sur le flux intérieur des énergies. Du moment où l'on localise le point jusqu'à ce que

s'achève l'application, il se produit un enchaînement continu d'actes intimement liés entre eux, dont la réalisation correcte est la seule garantie de succès. Tous nos actes doivent se succéder de façon fluide et naturelle, en harmonie avec les énergies extérieures, et garantir ainsi la récupération de l'équilibre intérieur.

Douze applications pour éliminer la fatigue sexuelle

Techniques de manipulation : aide-mémoire.

Si les techniques ne sont pas connues à fond, il vaut mieux les revoir soit à partir de la page 61, soit à partir de la page 88 où en est donné le résumé.

Ci-dessous, nous donnons les techniques normales utilisées dans les applications ainsi que les traitements particuliers de certains points utilisés en lieu et place de celles-ci. Les techniques 1, 2 et 3 de la préparation ne seront exécutées qu'avant l'application. La technique 6 de la manipulation ne se fera qu'après. Le reste des techniques sera répété à chaque point.

PREPARATION

1. Tenir compte des sept principes de base.
2. Faire la préparation aux applications.
3. Préparer les mains.
4. Localiser les points en utilisant le Tsun de notre partenaire.

MANIPULATION

1. Placer le doigt sur le point, qui doit rester immobile pendant quelques secondes, et n'exercer aucune pression. Maintenir le contact durant tout le traitement.

2. Faire monter le ch'i depuis la porte originelle jusqu'aux mains.

3. Exercer une forte pression du pouce, perpendiculairement à la peau. Maintenir la pression en comptant lentement jusqu'à cent huit, tandis que le doigt tourne dans le sens des aiguilles d'une montre. La pression et le mouvement seront constants tandis que la personne qui reçoit le traitement expulse l'air de ses poumons. Au moment où elle aspire, la pression est maintenue alors que cesse le mouvement.

4. Mouvement et pression cessent une fois le traitement terminé mais le contact entre le doigt et le point doit être prolongé quelques secondes.

5. Vérifier que notre partenaire a recouvré le ch'i.

6. Se détendre ensemble pendant quelques minutes avant de commencer la pratique duelle.

Cet ensemble d'applications est utilisé pour soulager des problèmes les plus courants et les moins graves empêchant la pratique duelle.

Le terme de difficulté ou fatigue sexuelle sert de dénominateur commun à toute une série de phénomènes, depuis la fatigue provoquée par une rude journée de travail jusqu'à la tension nerveuse causée par une frayeur. Ces états produisent une apathie. En général, ce sont les nerfs qui sont cause de ces difficultés, mais aussi, dans une moindre mesure, la fatigue musculaire. C'est pourquoi cet ensemble d'applications sert à relaxer et à stimuler le niveau vital, et peut être mis en œuvre avant n'importe quel type d'effort. Lorsqu'un sujet devant fournir un certain travail se sent incapable, physiquement et moralement, de l'accomplir, on peut fort bien lui appliquer les traitements détaillés dans les pages qui vont suivre.

ELIMINER LA FATIGUE

Application 1

Cette application comprend le seul point 34.

POINT 34 : Double

Situation :

Trois Tsun au-dessous du bord externe de la rotule et vers l'extérieur de la largeur d'un doigt (voir page 45).

Technique :

Normale (voir page 92), mais en utilisant la méthode par préhension pour exercer la pression (voir schéma et, également, page 81).

Complément :

Lorsque notre partenaire prend possession du ch'i, il (elle) ressent une montée de la température de son corps et un bien-être général. Dans le cas où notre partenaire éprouverait une certaine faiblesse des jambes à la suite du traitement, il serait préférable de remplacer cette application par une autre.

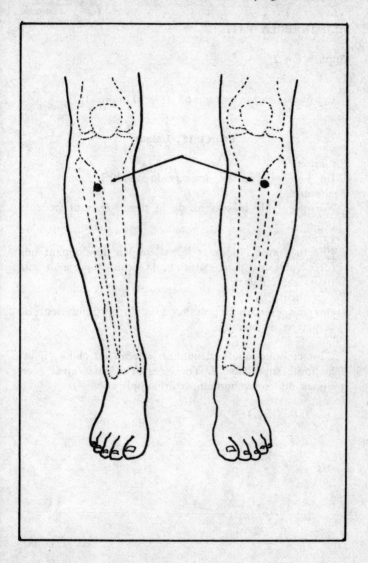

ELIMINER LA FATIGUE

Application 2

Cette application comprend le seul point 15.

POINT 15 : Unique

Situation :
Un Tsun et demi en dessous du nombril.
Technique :
Normale (voir le schéma de la page 92), sauf pour la pression.
Pression :
Effectuée avec l'index et le majeur, en développant une force suffisante pour entraîner la peau et parvenir aux tissus musculaires.
Complément :
On peut exercer la pression avec le bord inférieur de la paume de la main.

C'est ce point que l'on nomme « océan du ch'i » ; il est à la limite supérieure de l'une des principales aires énergétiques du corps humain (voir l'application 4).

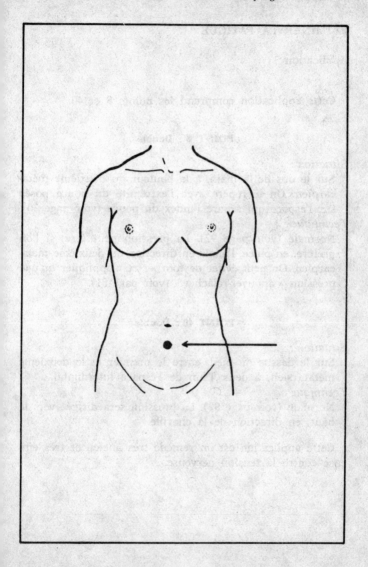

ELIMINER LA FATIGUE

Application 3

Cette application comprend les points 8 et 40.

POINT 8 : Double

Situation :
Sur le dos de la main, à la hauteur du deuxième métacarpien. On le repère avec l'extrémité du pouce posée sur l'espace qui sépare l'index du pouce (voir page 30).
Technique :
Normale (voir page 92). La pression peut être, si l'on préfère, en pince, l'angle en direction du deuxième métacarpien. On peut éviter de tourner et n'appliquer qu'une pression « appuyer-relâcher » (voir page 81).

POINT 40 : Double

Situation :
Sur le dessus du pied, entre le premier et le deuxième métatarsien, à deux Tsun de l'espace interdigital.
Technique :
Normale (voir page 92). La pression sera dirigée vers le haut, en direction de la cheville.

Cette application est un remède très ancien et très efficace contre la tension nerveuse.

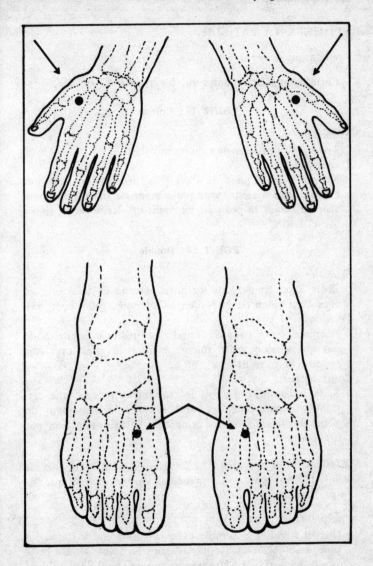

ELIMINER LA FATIGUE

Application 4

Cette application comprend les points 17 et 34. .

POINT 17 : Unique

Situation :
Trois Tsun en dessous du nombril.
Technique :
Normale (voir page 92), mais la pression se fait par l'index et le majeur, avec juste assez de force pour pouvoir entraîner la peau en tournant et atteindre les tissus musculaires.

POINT 34 : Double

Situation :
Trois Tsun en dessous du bord externe de la rotule, et vers l'extérieur de la largeur d'un doigt (voir page 45).
Technique :
Normale (voir page 92), mais en utilisant la méthode par préhension pour mieux exercer la pression (voir croquis et page 81).
Complément :
Si la personne qui subit le traitement ressent une certaine faiblesse dans les jambes après le traitement du point 34, il vaut mieux remplacer cette application par une autre.

Le point 17 est appelé « l'origine secrète » et, avec le point 15, fait partie du principal centre énergétique de l'être humain.

Complément :
On peut traiter ensemble avec la paume de la main les points 15 et 17, et ajouter ensuite le point 34. De cette façon, on parvient à soulager n'importe quel déséquilibre, comme une nausée, par exemple.

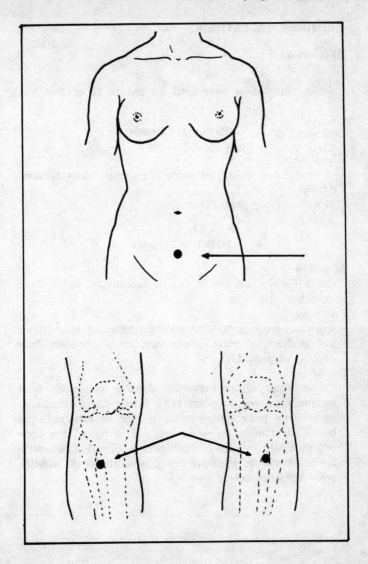

ELIMINER LA FATIGUE

Application 5

Cette application comprend les points 11 et 36.

POINT 11 : Double

Situation :
A deux Tsun du pli du poignet, entre les deux tendons.
Technique :
Normale (voir page 92).

POINT 36 : Double

Situation :
Trois Tsun au-dessus de l'os de la cheville, sur le bord postérieur du tibia.
Technique :
Normale (voir page 92), mais en utilisant la méthode par préhension, pour mieux exercer la pression (voir croquis et page 81).
Complément :
Ce point est le plus important dans le traitement de la femme. Combiné au point 11, il forme une merveilleuse association pour toutes celles qui ne se sentent « pas bien », déprimées ou nerveuses, car le point 11 est un puissant calmant. En général, cette application est considérée comme le meilleur des régénérateurs de vitalité, pour les deux sexes.

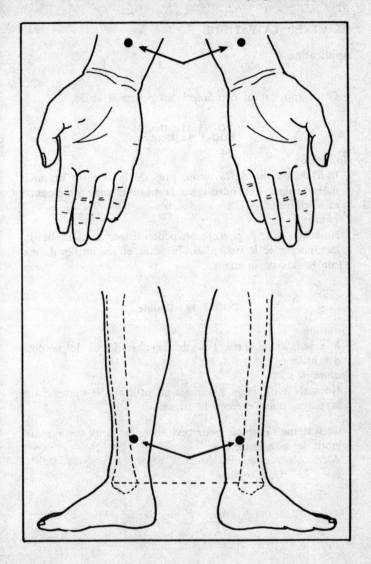

ELIMINER LA FATIGUE

Application 6

Cette application comprend les points 9 et 38.

POINT 9 : Double

Situation :
Dans la paume de la main, près de la tête du premier métacarpien, à l'endroit où la peau change de nuance et s'éclaircit.

Technique :
Normale (voir page 92) ; on peut utiliser la méthode de la pince, avec le pouce sur le point et les autres doigts sur le dos de la main.

POINT 38 : Double

Situation :
A mi-distance entre l'os de la cheville et le tendon d'Achille.

Technique :
Normale (voir page 92), mais en utilisant le système de la pince, pour exercer la pression.

Ce système s'emploie pour revitaliser les deux sexes, mais surtout le sexe masculin.

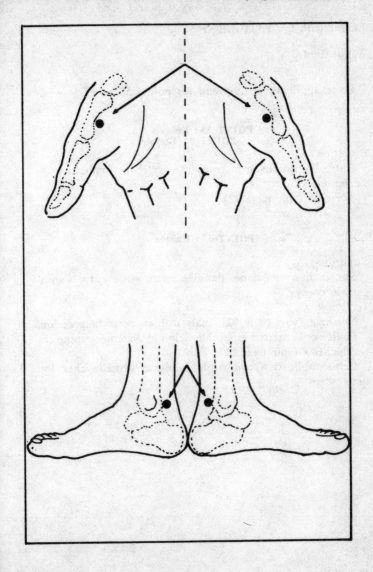

ELIMINER LA FATIGUE

Application 7

Cette application comprend les points 53 et 67.

POINT 53 : Unique

Situation :
Entre les deuxième et troisième vertèbres lombaires.
Technique :
Normale (voir page 92).

POINT 67 : Unique

Situation :
Sur la ligne médiane, dans le creux situé entre l'anus
et le coccyx.
Technique :
Normale (voir page 92), mais utiliser pour la pression
l'index et le majeur ensemble, selon le système « appuyer-
relâcher » (voir page 81).

Cette application combat la faiblesse sexuelle chez les
deux sexes.

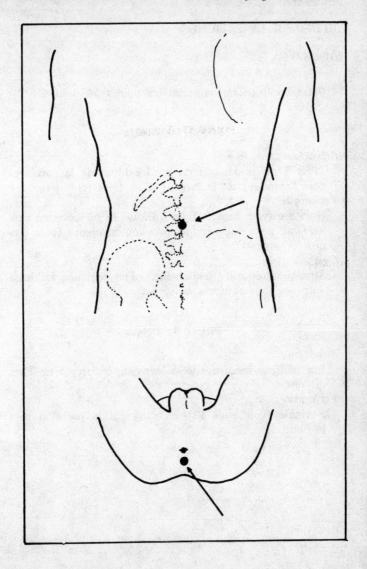

ELIMINER LA FATIGUE

Application 8

Cette application comprend les points 34, 3 et 1.

POINT 34 : Double

Situation :
Trois Tsun au-dessous du bord externe de la rotule et vers l'extérieur de la largeur d'un doigt (voir page 45).

Technique :
Normale (voir page 92), en utilisant la méthode en préhension, pour exercer une pression meilleure (voir croquis et page 81).

Complément :
Appliquer un autre traitement si l'on sent une faiblesse dans les jambes après la séance.

POINT 3 : Unique

Situation :
Sur la ligne médiane de la lèvre supérieure, à un tiers du nez.

Technique :
Normale (voir page 92), en dirigeant la pression vers le haut.

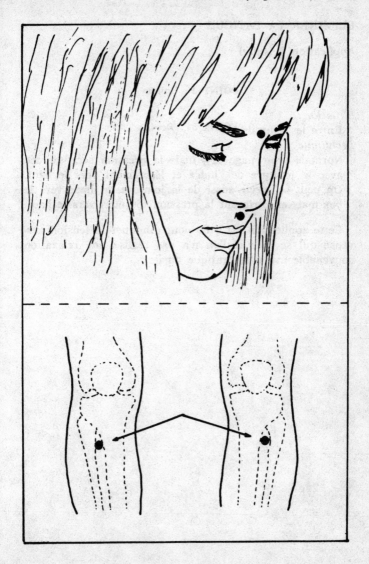

ELIMINER LA FATIGUE

Application 8 (*suite*)

POINT 1 : Unique

Situation :

Entre les sourcils.

Technique :

Normale (voir page 92), mais la pression sera exercée avec la jointure de l'index et légèrement vers le haut. On peut se servir aussi de la jointure du haut vers le bas mais en dirigeant la pression toujours vers le haut.

Cette application est utile pour diminuer la tension nerveuse qui se crée si l'on n'a pas réalisé une relaxation convenable avant la pratique duelle.

ELIMINER LA FATIGUE

Application 9

Cette application comprend les points 20, 18 et 14.

POINT 20 : Unique

Situation :
Au centre du périnée, entre les parties génitales et l'anus.
Technique :
Normale (voir page 92), la pression étant exercée par l'index et le majeur, avec suffisamment de force pour entraîner la peau en faisant tourner les doigts.

POINT 18 : Unique

Situation :
Quatre Tsun en dessous du nombril.
Technique :
Normale (voir page 92), la pression étant exercée comme antérieurement, avec la force suffisante pour parvenir au tissu musculaire.

POINT 14 : Unique

Situation :
Un Tsun en dessous du nombril.
Technique :
Normale (voir page 92), la pression étant exercée comme au point antérieur.

Cette application combat l'apathie sexuelle chez les deux sexes.

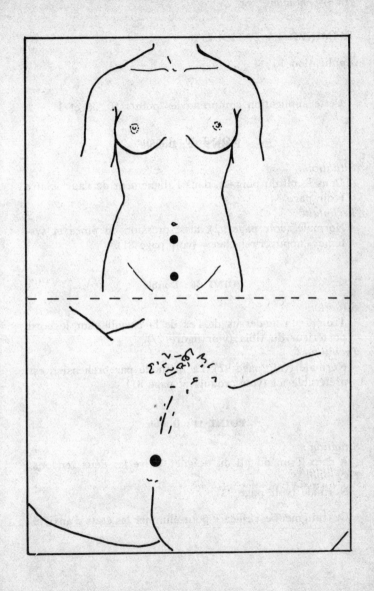

ELIMINER LA FATIGUE

Application 10

Cette application comprend les points 10, 36 et 11.

POINT 10 : Double

Situation :

Dans le pli du poignèt, dans l'alignement de l'auriculaire (voir page 34).

Technique :

Normale (voir page 92), avec pression en pince et système « appuyer-relâcher » (voir page 81).

POINT 36 : Double

Situation :

Trois Tsun au-dessus de l'os de la cheville, sur le bord postérieur du tibia (voir figure 27).

Technique :

Normale (voir page 92). La méthode par préhension est préférable ici (voir croquis et page 81).

POINT 11 : Double

Situation :

A deux Tsun du pli du poignet, entre les deux tendons.

Technique :

Normale (voir page 92).

Ce traitement est efficace pour éliminer les états d'anxiété.

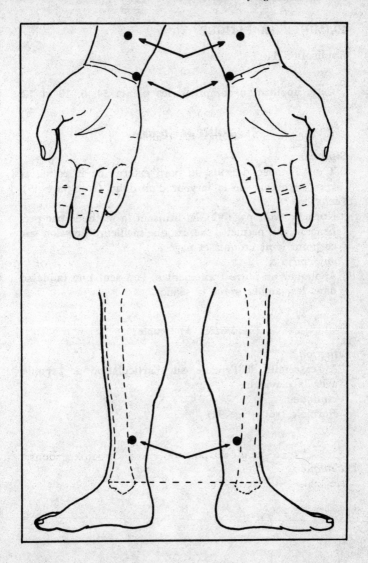

ELIMINER LA FATIGUE

Application 11

Cette application comprend les points 34, 6, 19 et 12.

POINT 34 : Double

Situation :

Trois Tsun en dessous du bord externe de la rotule et vers l'extérieur de la largeur d'un doigt (voir page 45).

Technique :

Normale (voir page 92), en utilisant la méthode par préhension, qui permet d'exercer une meilleure pression sur ce point (voir croquis et page 81).

Complément :

Appliquer un autre traitement si l'on sent une faiblesse dans les jambes après la séance.

POINT 6 : Double

Situation :

A l'extrémité de l'épaule, sur l'articulation de l'épaule avec la clavicule.

Technique :

Normale (voir page 92).

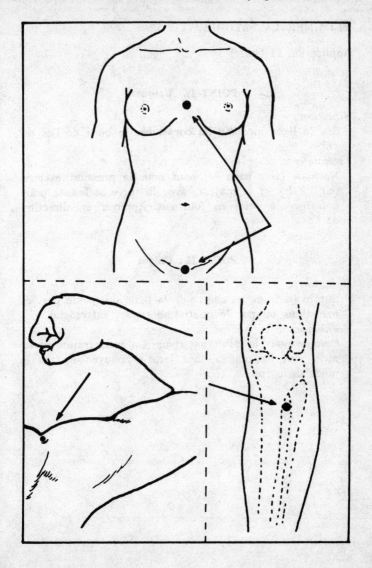

ELIMINER LA FATIGUE

Application 11 (*suite*)

POINT 19 : Unique

Situation :

Sur la ligne médiane du corps, sur le bord de l'os du pubis.

Technique :

Normale (voir page 92), sauf pour la pression, exercée par l'index et le majeur, avec la force suffisante pour entraîner la peau en tournant. Appuyer en direction de l'os.

POINT 12 : Unique

Situation :

Sur le sternum, au centre de la ligne qui passe par les mamelons ou par le quatrième espace intercostal.

Technique :

Comme pour le point antérieur. On peut traiter également avec les pouces, sans jamais appuyer de tout le poids du corps.

ELIMINER LA FATIGUE

Application 12

Cette application comprend les points 17, 18, 20, 34, 56, 45, 44 et 12.

POINT 17 : Unique

Situation :
Trois Tsun au-dessous du nombril.
Technique :
Normale (voir page 92), mais la pression est exercée par l'index et le majeur, avec la force juste suffisante pour entraîner la peau en tournant les doigts.

POINT 18 : Unique

Situation :
Quatre Tsun au-dessous du nombril.
Technique :
Voir point antérieur.

POINT 20 : Unique

Situation :
Au centre du périnée, entre les parties génitales et l'anus.
Technique :
Voir les points antérieurs.

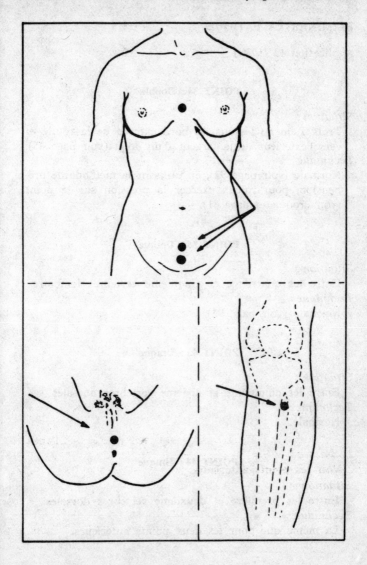

ELIMINER LA FATIGUE

Application 12 (*suite*)

POINT 34 : Double

Situation :
Trois Tsun au-dessous du bord externe de la rotule et vers l'extérieur de la largeur d'un doigt (voir page 45).
Technique :
Normale (voir page 92), en utilisant la méthode de préhension, pour mieux exercer la pression sur le point (voir croquis et page 81).

POINT 56 : Unique

Situation :
Entre les quatrième et cinquième vertèbres lombaires.
Technique :
Normale (voir page 92).

POINT 45 : Unique

Situation :
Entre les cinquième et sixième vertèbres dorsales.
Technique :
Normale.

POINT 44 : Unique

Situation :
Entre les première et deuxième vertèbres dorsales.
Technique :
La même que pour les deux points antérieurs.

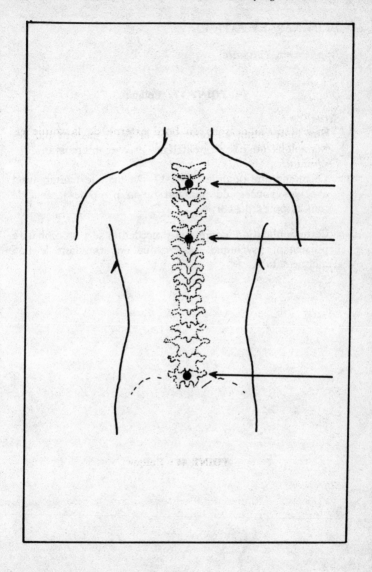

ELIMINER LA FATIGUE

Application 12 (*suite*)

POINT 12 : Unique

Situation :

Sur le sternum, au centre de la ligne passant par les mamelons ou par le quatrième espace intercostal.

Technique :

La même que pour le point 17. On peut le traiter aussi avec les pouces, du moment qu'on n'appuie jamais de tout le poids du corps.

Cette application, comme la précédente, sert à combattre l'épuisement psychique et physique en stimulant le flux d'énergie vitale.

Quatorze applications pour stimuler la puissance sexuelle

Les techniques de manipulation : aide-mémoire.

Si les techniques ne sont pas connues à fond, les revoir à partir de la page 61 ou de la page 87.

On trouvera ci-après les techniques habituelles de manipulation, ainsi que celles plus particulières de certains points. Les techniques 1, 2 et 3 de la préparation ne seront effectuées qu'avant l'application. La technique 6 ne le sera qu'après. Le reste des techniques sera renouvelé à chaque point.

PREPARATION

1. Tenir compte des sept principes de base.
2. Faire la préparation aux applications.
3. Préparer les mains.
4. Localiser les points en utilisant le Tsun du (de la) partenaire.

MANIPULATION

1. Placer le doigt sur le point ; il doit rester immobile pendant quelques secondes et n'exercer aucune pression. Maintenir le contact durant tout le traitement.

2. Faire monter le ch'i de la porte originelle jusqu'aux mains.

3. Exercer une forte pression du pouce perpendiculaire à la peau. Maintenir la pression en comptant lentement jusqu'à cent huit, tandis que le doigt tourne dans le sens des aiguilles d'une montre. La pression et le mouvement sont constants tandis que la personne qui subit le traitement expulse l'air contenu dans ses poumons. Au moment où elle aspire de nouveau, la pression est maintenue alors que cesse le mouvement.

4. Mouvement et pression cessent une fois le traitement terminé, mais le contact entre le doigt et le point est prolongé quelques secondes.

5. Vérifier que le (la) partenaire a recouvré le ch'i.

6. Se détendre ensemble pendant quelques minutes avant de commencer la pratique duelle.

Ce groupe d'applications rassemble tous les traitements servant à en créer une intensité et un volume meilleurs de la réponse sexuelle. Certaines techniques facilitent et augmentent l'orgasme féminin. D'autres, communes au groupe antérieur et à celui-ci, développent l'énergie et le tonus vital.

STIMULER LA PUISSANCE SEXUELLE

Application 1

Cette application comprend le seul point 3.

POINT 3 : Unique

Situation :
Sur la ligne médiane de la lèvre supérieure, à un tiers du nez.

Technique :
Normale (voir page 126), la pression étant appliquée selon la méthode « appuyer-relâcher » (page 81) et en direction de la base du nez.

Dans les anciens traités, on cite déjà le lien mystérieux qui existe entre la lèvre supérieure de la femme et le clitoris. Cette application augmente l'orgasme féminin. Elle est utilisée parfois au début de la pratique duelle ; le meilleur système pour la femme est de visualiser l'union de la lèvre supérieure avec le clitoris, par le moyen d'un canal infiniment petit. Son parcours suit la ligne médiane du corps : lèvre supérieure, tête, dos, clitoris. Il faut le visualiser tout vibrant d'énergie.

STIMULER LA PUISSANCE SEXUELLE

Application 2

Cette application ne comprend que le point 27.

POINT 27 : Double

Situation :
    A l'extrémité de l'index.
Technique :
    Mettre en contact le pouce de chaque main avec le point en formant un cercle.

Ce point est l'un de ceux que l'on appelle les trois mudras. C'est un geste d'autotraitement. Il permet de contrôler et de rééquilibrer le flux du ch'i. En général, l'élément féminin l'utilise pendant la pratique duelle, mais l'homme peut le mettre en pratique aussi dans les positions inversées, lorsque la femme réalise la pratique duelle sur lui.

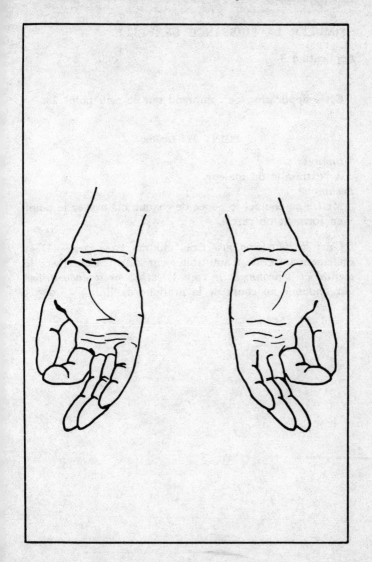

STIMULER LA PUISSANCE SEXUELLE

Application 3

Cette application ne comprend que le seul point 28.

POINT 28 : Double

Situation :
A l'extrémité du majeur.
Technique :
Mettre en contact le pouce de chaque main avec le point en formant un cercle.

C'est le deuxième des trois mudras (voir page 41) et également un geste d'autotraitement aidant à stabiliser le mental et à prolonger le coït. Il est en préférence utilisé par l'homme au cours de la pratique duelle.

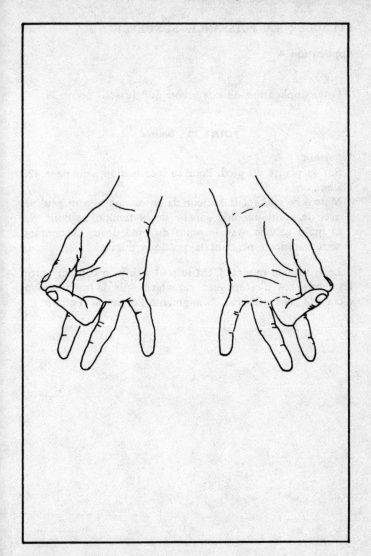

STIMULER LA PUISSANCE SEXUELLE

Application 4

Cette application ne comprend que le seul point 29.

POINT 29 : Double

Situation :

Sur la plante du pied. Pour sa localisation, voir page 42.

Technique :

Mettre en contact le majeur de la main droite masculine avec le point du pied gauche de la femme, le doigt de la main gauche avec le point du pied droit. Le contact sera maintenu pendant la pratique duelle.

Le troisième mudra. C'est le seul point de contact entre les deux sexes. C'est un geste caractéristique de transmission d'énergie sans pression. Il augmente l'orgasme féminin.

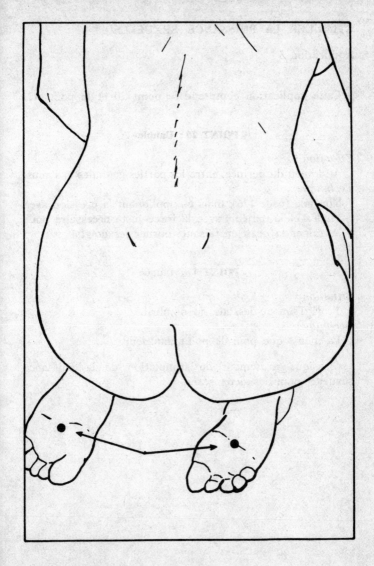

STIMULER LA PUISSANCE SEXUELLE

Application 5

Cette application comprend le point 20 et le point 17.

POINT 20 : Unique

Situation :
Au milieu du périnée, entre les parties génitales et l'anus.
Technique :
Normale (page 126), mais en appliquant la pression avec l'index et le majeur, avec la force juste nécessaire pour entraîner la peau en faisant tourner les doigts.

POINT 17 : Unique

Situation :
Trois Tsun au-dessous du nombril.
Technique :
La même que pour le point antérieur.

Classique traitement de stimulation de la puissance sexuelle, pour les deux sexes.

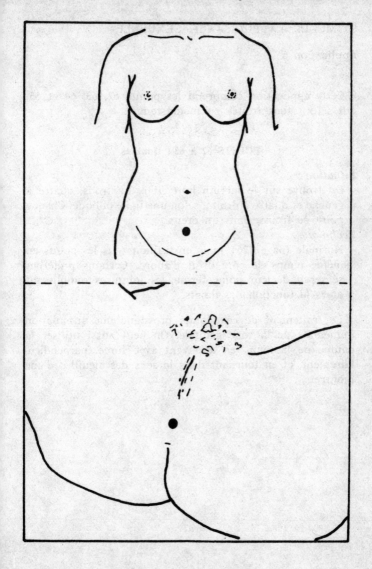

STIMULER LA PUISSANCE SEXUELLE

Application 6

Cette application comprend les points 62, 63, 64 et 65, qui seront tous traités en même temps.

POINTS 62 à 65 : Doubles

Situation :

On trouve sur le sacrum huit creux ou trous, quatre à gauche et quatre à droite, selon une ligne oblique. Chaque point se trouve dans un creux.

Technique :

Normale (page 126), mais en traitant tous les points en même temps, le côté droit d'abord. Certains préfèrent se servir de leur poing fermé, les jointures remplissant alors la fonction des doigts.

Le traitement de ces points provoque une stimulation immédiate de la zone génitale. On peut aussi utiliser la paume de la main, en appuyant avec force, perpendiculairement, et en tournant dans le sens des aiguilles d'une montre.

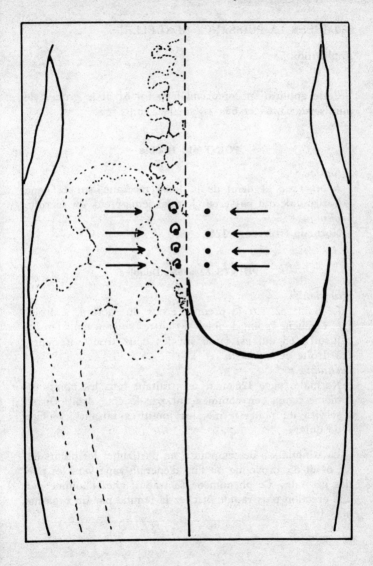

STIMULER LA PUISSANCE SEXUELLE

Application 7

Cette application comprend le point 61 et le groupe de points 62, 63, 64 et 65.

POINT 61 : Double

Situation :

A un Tsun et demi de la ligne médiane, sur la ligne horizontale qui passe par le quatrième creux du sacrum.

Technique :

Normale (voir page 126).

POINTS 62 à 65 : Doubles

Situation :

Le point 62, sur le premier creux du sacrum, à droite et à gauche (point double), les autres suivant dans l'ordre jusqu'à 65 qui est situé sur les deux trous inférieurs, à droite et à gauche.

Technique :

Normale (page 126) mais en traitant tous les points en même temps, en commençant par le côté droit. On se servira du poing fermé, les jointures faisant ici office de doigts.

La stimulation de ces points, en particulier les points 62, 63, 64 et 65, provoque un flux d'énergie yang vers les parties génitales. Ce phénomène se traduit chez l'homme par une érection plus rapide et chez la femme par un orgasme plus fort.

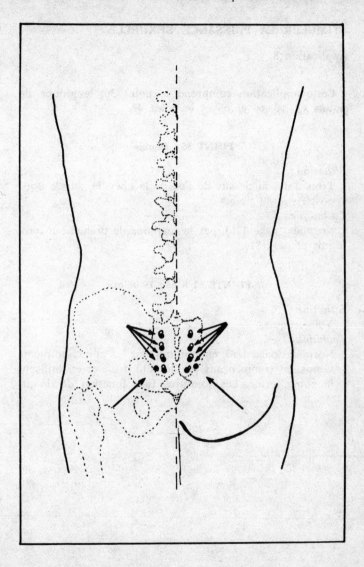

STIMULER LA PUISSANCE SEXUELLE

Application 8

Cette application comprend le point 36, le groupe de points 62, 63, 64 et 65 et le point 47.

POINT 36 : Double

Situation :
Trois Tsun au-dessus de l'os de la cheville, sur le bord postérieur du tibia.
Technique :
Normale (page 126), par la méthode de préhension (croquis et page 81).

POINTS 62 à 65 : Doubles

Situation :
Voir croquis.
Technique :
Normale (page 126), en traitant tous les points en même temps, en commençant par le côté droit et en utilisant le poing fermé. Les jointures font fonction de doigts.

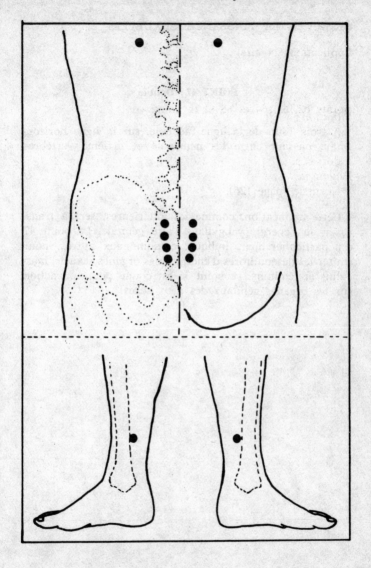

STIMULER LA PUISSANCE SEXUELLE

Application 8 (*suite*)

POINT 47 : Double

Situation :
   A trois Tsun de la ligne médiane, sur la ligne horizontale passant entre les neuvième et dixième vertèbres dorsales.
Technique :
   Normale (page 126).

Cette application, comme les antérieures, sert à transvaser de l'énergie yang dans l'aire génitale. Le point 47 est particulièrement indiqué, combiné aux autres, pour traiter les déséquilibres d'énergies des organes sexuels, masculins et féminins. Le point 36 est connu pour son action sur les organes génitaux des deux sexes.

STIMULER LA PUISSANCE SEXUELLE

Application 9

Cette application comprend les points 23, 24 et 25.

POINT 23 : Double

Situation :
A deux Tsun de distance de la ligne médiane, sur la ligne horizontale qui passe par le point 17 (trois Tsun au-dessous du nombril).

Technique :
Normale (page 126), la pression étant exercée par l'index et le majeur avec la force suffisante pour entraîner la peau lorsqu'on les fait tourner.

POINT 24 : Double

Situation :
Un Tsun au-dessous du précédent.

Technique :
Identique à celle du point antérieur.

POINT 25 : Double

Situation :
Un Tsun au-dessous du point précédent.

Technique :
Voir point 23.

Cette application est indiquée pour les deux sexes, en particulier pour améliorer les affections légères de l'énergie génitale.

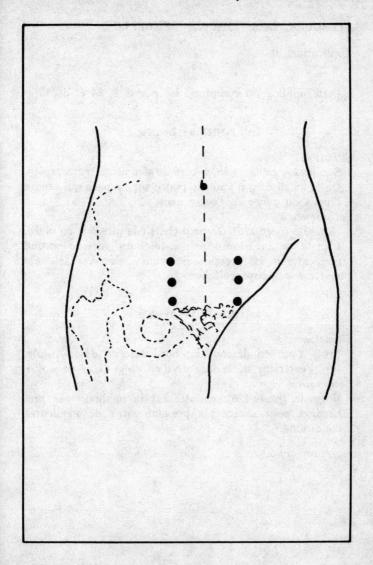

STIMULER LA PUISSANCE SEXUELLE

Application 10

Cette application comprend les points 8, 34 et 36.

POINT 8 : Double

Situation :

Sur le dos de la main, à côté du deuxième métacarpien. On le localise en plaçant le pouce sur l'espace qui sépare l'index du pouce de l'autre main.

Technique :

Normale (page 126). On peut choisir la pression en pince. L'angle de pression s'incline toujours vers le second métacarpien. La pression peut aussi s'exercer selon le système « appuyer-relâcher ».

POINT 34 : Double

Situation :

Trois Tsun en dessous du bord externe de la rotule, vers l'extérieur de la largeur d'un doigt (voir page 45).

Technique :

Normale (page 126), en utilisant la méthode par préhension pour exercer la pression dans de meilleures conditions.

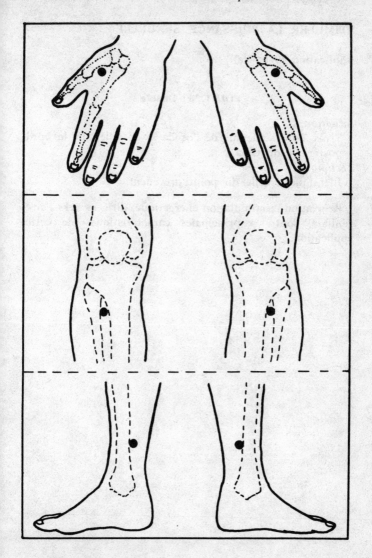

STIMULER LA PUISSANCE SEXUELLE

Application 10 (*suite*)

POINT 36 : Double

Situation :

Trois Tsun au-dessus de l'os de la cheville, sur le bord postérieur du tibia.

Technique :

Identique à celle du point précédent.

Relaxation et stimulation énergétique, dirigées vers l'aire génitale, sont les principales caractéristiques de cette application.

STIMULER LA PUISSANCE SEXUELLE

Application 11

Cette application comprend les points 43, 7 et 8.

POINT 43 : Unique

Situation :

Dans le creux situé entre la septième vertèbre cervicale et la première vertèbre dorsale.

Technique :

Normale (voir page 126).

POINT 7 : Double

Situation :

Dans le pli du coude, lorsque l'on plie le bras. Dans une dépression située entre l'extrémité du pli et la tête de l'humérus.

Technique :

Normale (page 126). Appuyer en direction du coude.

POINT 8 : Double

Situation :

Sur le dos de la main, à côté du deuxième métacarpien. On le localise en plaçant l'extrémité du pouce sur l'espace qui sépare l'index du pouce de l'autre main.

Technique :

Normale (page 126). On peut choisir la pression en pince. Son angle s'incline toujours vers le deuxième métacarpien. La pression peut aussi s'exercer selon le système « appuyer-relâcher » (voir page 81).

Application classique pour stimuler la vitalité.

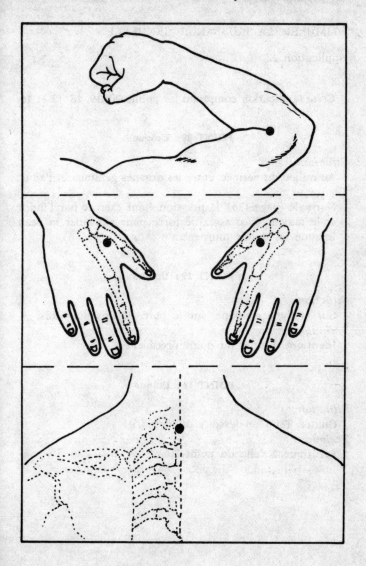

STIMULER LA PUISSANCE SEXUELLE

Application 12

Cette application comprend les points 20, 19, 18, 17 et 16.

POINT 20 : Unique

Situation :
Au milieu du périnée, entre les organes génitaux et l'anus.
Technique :
Normale (page 126), la pression étant exercée par l'index et le majeur avec assez de force pour entraîner la peau lorsque les doigts tournent.

POINT 19 : Unique

Situation :
Sur la ligne médiane, sur le bord de l'os du pubis.
Technique :
Identique à celle du point précédent.

POINT 18 : Unique

Situation :
Quatre Tsun au-dessous du nombril.
Technique :
Identique à celle du point 20.

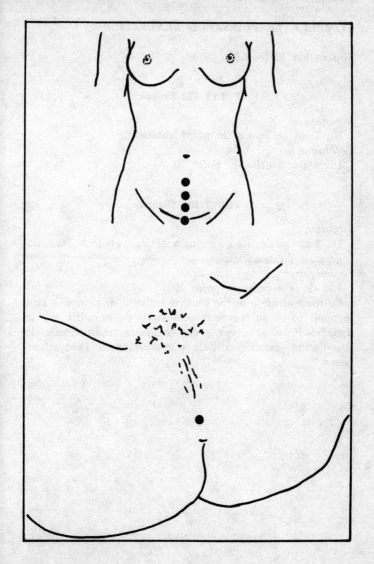

STIMULER LA PUISSANCE SEXUELLE

Application 12 (*suite*)

POINT 17 : Unique

Situation :
   Un Tsun au-dessus du point antérieur.
Technique :
   Identique à celle du point 20.

POINT 16 : Unique

Situation :
   Un Tsun au-dessus du point antérieur, et deux Tsun au-dessous du nombril.
Technique :
   Identique à celle du point 20.

Cette application utilise toute une chaîne de points — sauf le point 15 — se trouvant au-dessous du nombril, sur la ligne médiane du corps. C'est la chaîne traditionnelle de stimulation sexuelle, utilisée y compris pour l'autostimulation.

STIMULER LA PUISSANCE SEXUELLE

Application 13

Cette application comprend les points 36, 31, 46, 15, 22 et 41.

POINT 36 : Double

Situation :
Trois Tsun au-dessus de l'os de la cheville, sur le bord postérieur du tibia.
Technique :
Normale (page 126). Méthode par préhension permettant une pression plus forte (voir croquis et page 81).

POINT 31 : Double

Situation :
Les deux partenaires sont assis face à face. Celui qui applique le traitement appuie les mains sur les genoux de l'autre. Le centre de la paume coïncide avec la rotule. Le point se trouve à l'extrémité du pouce.
Technique :
Normale (page 126).

POINT 46 : Double

Situation :
A trois Tsun de la ligne médiane du dos, sur la ligne horizontale passant entre les deuxième et troisième vertèbres dorsales.
Technique :
Normale (page 126).

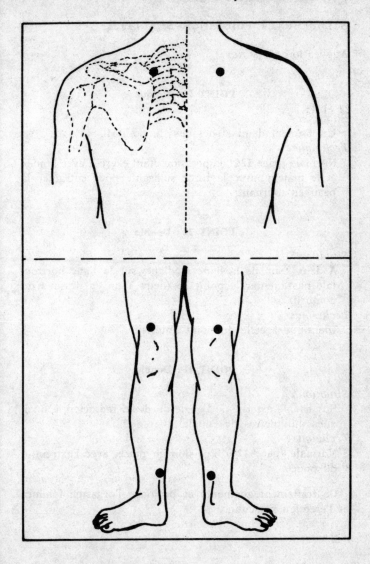

STIMULER LA PUISSANCE SEXUELLE

Application 13 (*suite*)

POINT 15 : Unique

Situation :
Un Tsun et demi au-dessous du nombril.
Technique :
Normale (page 126), la pression étant exercée avec l'index et le majeur, avec la force suffisante pour entraîner la peau en tournant.

POINT 22 : Double

Situation :
A deux Tsun de la ligne médiane, sur la ligne horizontale passant par le point 16 (deux Tsun en dessous du nombril).
Technique :
Identique à celle du point antérieur.

POINT 41 : Double

Situation :
Sur l'angle externe de l'ongle du deuxième orteil, à quelques millimètres de l'ongle.
Technique :
Normale (page 126). Pression en pince, avec l'extrémité du pouce.

Ce traitement augmente et prolonge l'orgasme féminin et l'érection masculine.

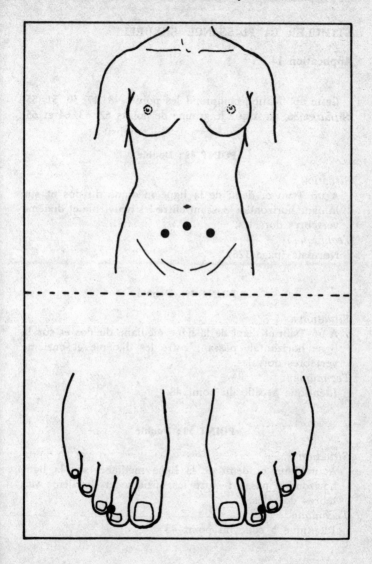

STIMULER LA PUISSANCE SEXUELLE

Application 14

Cette application comprend les points 48, 49, 50, 51, 55, 58, 52 et 36, ainsi que le groupe de points 62, 63, 64 et 65.

POINT 48 : Double

Situation :
A un Tsun et demi de la ligne médiane du dos et sur la ligne horizontale passant entre les neuvième et dixième vertèbres dorsales.

Technique :
Normale (page 126).

POINT 49 : Double

Situation :
A un Tsun et demi de la ligne médiane du dos et sur la ligne horizontale passant entre les dixième et onzième vertèbres dorsales.

Technique :
Identique à celle du point 48.

POINT 50 : Double

Situation :
A un Tsun et demi de la ligne médiane, sur la ligne horizontale passant entre les onzième et douzième vertèbres dorsales.

Technique :
Identique à celle du point 48.

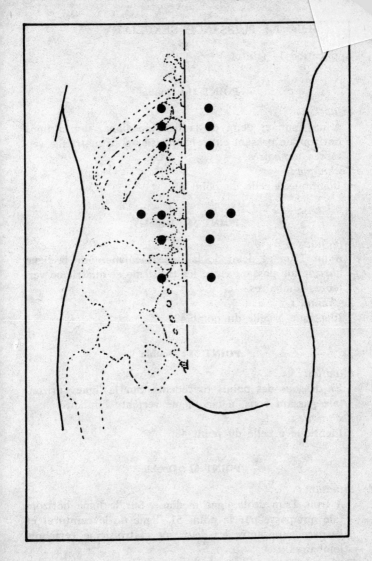

STIMULER LA PUISSANCE SEXUELLE

Application 14 (*suite*)

POINT 51 : Double

Situation :

A un Tsun et demi de la ligne médiane, sur la ligne horizontale passant entre les troisième et quatrième vertèbres lombaires.

Technique :

Identique à celle du point 48.

POINT 55 : Double

Situation :

A un Tsun et demi de la ligne médiane. Sur la ligne horizontale passant entre les troisième et quatrième vertèbres lombaires.

Technique :

Identique à celle du point 48.

POINT 58 : Double

Situation :

En dessous des points précédents. Sur la ligne horizontale passant sous la cinquième vertèbre lombaire.

Technique :

Identique à celle du point 48.

POINT 52 : Double

Situation :

A trois Tsun de la ligne médiane. Sur la ligne horizontale qui passe par le point 51 (ligne de la ceinture) et l'espace situé entre les deuxième et troisième vertèbres lombaires.

Technique :

Identique à celle du point 48.

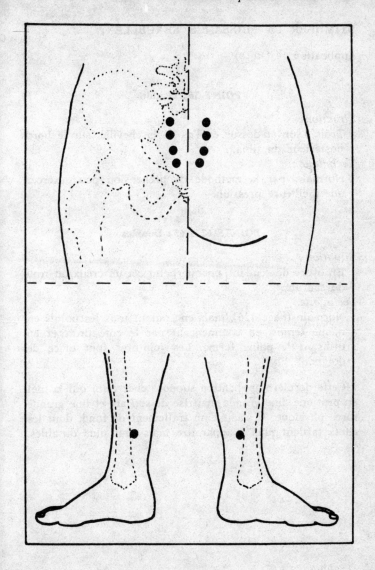

STIMULER LA PUISSANCE SEXUELLE

Application 14 (*suite*)

POINT 36 : Double

Situation :

Trois Tsun au-dessus de l'os de la cheville, sur le bord postérieur du tibia.

Technique :

Normale, par la méthode de préhension pour exercer une meilleure pression.

POINTS 62 à 65 : Doubles

Situation :

En ordre descendant, chaque point est un creux ou trou du sacrum.

Technique :

Normale (page 126), mais en traitant tous les points en même temps, en commençant par le côté droit et en utilisant le poing fermé. Les jointures font office de doigts.

Cette dernière application suppose chez celui qui la met en pratique, une grande maîtrise de son art et une grande force physique. Il s'agit d'un traitement de fond, dont les effets tardent plus à apparaître mais sont plus durables.

Onze applications pour contrôler l'éjaculation

Techniques de manipulation : aide-mémoire.

Si les techniques ne sont pas connues à fond, les revoir à partir de la page 61 ou de la page 87.

On trouvera ci-dessous les techniques normales de manipulation ainsi que celles plus particulières de certains points. Les techniques 1, 2 et 3 de la préparation se feront avant l'application ; la technique 6 ne se fera qu'après. Les autres techniques seront réitérées à chaque point.

PREPARATION

1. Tenir compte des sept principes.
2. Faire la préparation aux applications.
3. Préparer les mains.
4. Localiser les points en utilisant le Tsun du (de la) partenaire.

MANIPULATION

1. Placer le doigt sur le point ; il doit rester immobile pendant quelques secondes et n'exercer aucune pression. Maintenir le contact durant tout le traitement.

2. Faire monter le ch'i de la porte originelle jusqu'aux mains.

3. Exercer une forte pression du pouce perpendiculaire à la peau. Maintenir la pression en comptant lentement jusqu'à cent huit, tandis que le doigt tourne dans le sens des aiguilles d'une montre. La pression et le mouvement sont constants pendant que la personne qui subit le traitement expulse l'air contenu dans ses poumons. Au moment où elle aspire de nouveau, la pression est maintenue mais le mouvement est interrompu.

4. Mouvement et pression cessent une fois le traitement terminé, mais le contact entre le doigt et le point est prolongé quelques secondes.

5. Vérifier que le (la) partenaire a recouvré le ch'i.

6. Se détendre ensemble pendant quelques minutes avant de commencer la pratique duelle.

Etant donné que la première condition du succès est d'éviter l'éjaculation dans la pratique duelle, ce groupe d'applications est d'une importance majeure pour l'élément masculin du couple.

Le manque de contrôle éjaculatoire peut avoir des causes yin ou yang. Parmi les onze applications suivantes, il s'en trouve certaines qui stimulent l'énergie yang et d'autres qui stimulent l'énergie yin.

CONTROLER L'EJACULATION

Application 1

Cette application comprend le seul point 42.

POINT 42 : Unique

Situation :
Un Tsun au-dessus du sein droit.

Technique :
Normale (page 168), mais la pression est appliquée avec l'index et le majeur de la main gauche. C'est un point d'autotraitement. On appuie sur le point selon la méthode fixe, c'est-à-dire qu'on exerce une pression fixe et constante.

Ce point est utilisé seulement pour le sexe masculin. C'est l'une des techniques connues les plus efficaces et les plus anciennes. L'application se fait pendant la pratique duelle.

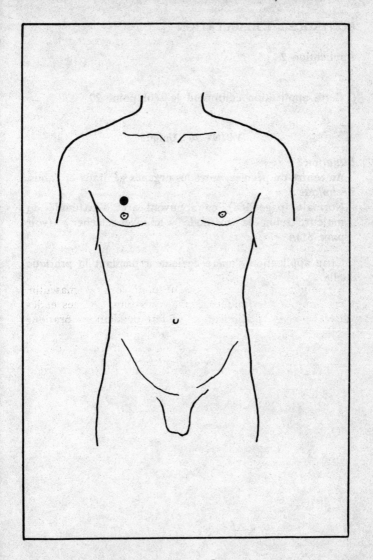

CONTROLER L'EJACULATION

Application 2

Cette application comprend le seul point 20.

POINT 20 : Unique

Situation :
Au centre du périnée, entre les organes génitaux et l'anus.
Technique :
Normale (page 168), en appuyant avec l'extrémité du majeur, selon la méthode « appuyer-relâcher » (voir page 81).

Cette application s'opère également pendant la pratique duelle.

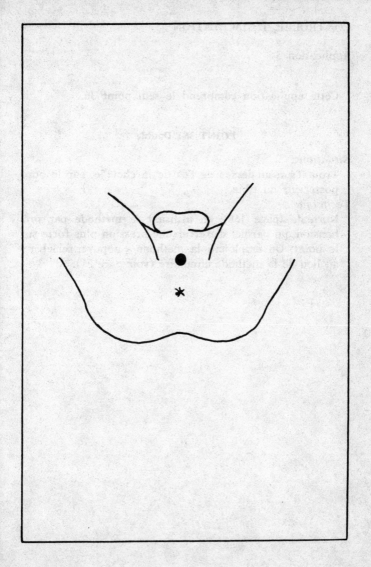

CONTROLER L'EJACULATION

Application 3

Cette application comprend le seul point 36.

POINT 36 : Double

Situation :
Trois Tsun au-dessus de l'os de la cheville, sur le bord postérieur du tibia.

Technique :
Normale (page 168), en utilisant la méthode par préhension qui permet d'exercer une pression plus forte sur le point. On emploiera la méthode « appuyer-relâcher » au lieu de la méthode circulaire (voir page 81).

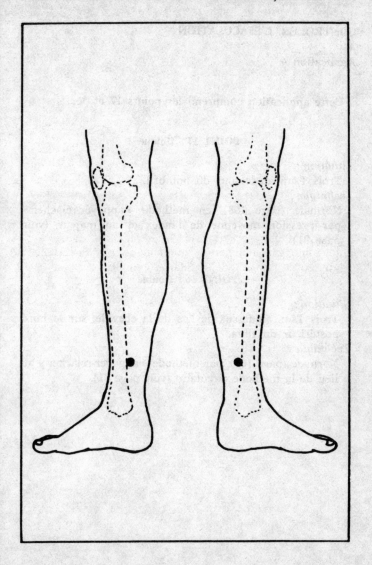

CONTROLER L'EJACULATION

Application 4

Cette application comprend les points 17 et 36.

POINT 17 : Unique

Situation :
Trois Tsun au-dessous du nombril.
Technique :
Normale (page 168), en méthode « appuyer-relâcher »
par pression moyenne de l'index et du majeur (voir
page 81).

POINT 36 : Double

Situation :
Trois Tsun au-dessus de l'os de la cheville, sur le bord
postérieur du tibia.
Technique :
Normale (page 168), par méthode « appuyer-relâcher » au
lieu de la méthode circulaire (voir page 81).

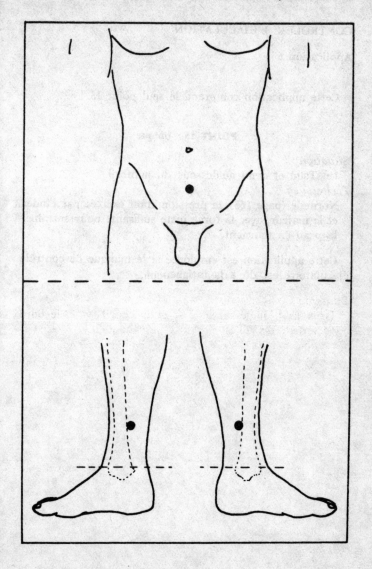

CONTROLER L'EJACULATION

Application 5

Cette application comprend le seul point 15.

POINT 15 : Unique

Situation :
Un Tsun et demi au-dessous du nombril.

Technique :
Normale (page 168), la pression étant exercée par l'index et le majeur, avec la force juste suffisante pour entraîner la peau en tournant.

Cette application est employée si le manque de contrôle éjaculatoire est dû à la fatigue.

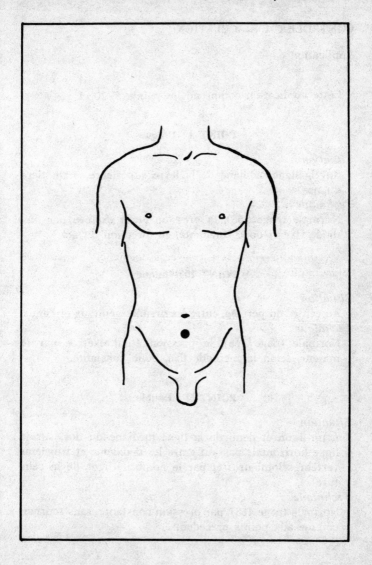

CONTROLER L'EJACULATION

Application 6

Cette application comprend les points 3, 20 et 51.

POINT 3 : Unique

Situation :
Sur la ligne médiane de la lèvre supérieure, à un tiers du nez.
Technique :
Normale (page 168), la pression étant exercée par méthode fixe et donc constante, en direction du nez.

POINT 20 : Unique

Situation :
Au centre du périnée, entre les organes génitaux et l'anus.
Technique :
Normale (page 168), la pression étant exercée par le majeur, selon la méthode fixe, donc constante.

POINT 51 : Double

Situation :
A un Tsun et demi de la ligne médiane du dos, sur la ligne horizontale passant entre les deuxième et troisième vertèbres lombaires et par le nombril (ligne de la ceinture).
Technique :
Normale (page 168), par pression constante, sans tourner, comme aux points précédents.

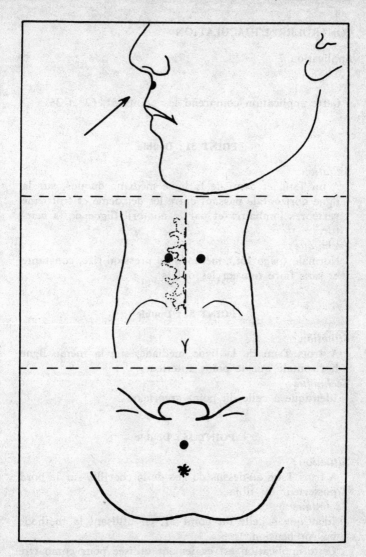

CONTROLER L'EJACULATION

Application 7

Cette application comprend les points 51, 52 et 36.

POINT 51 : Double

Situation :
A un Tsun et demi de la ligne médiane du dos, sur la ligne horizontale passant entre les deuxième et troisième vertèbres lombaires et par le nombril (ligne de la ceinture).

Technique :
Normale (page 168), méthode de pression fixe, constante et sans faire tourner les doigts.

POINT 52 : Double

Situation :
A trois Tsun de la ligne médiane, sur la même ligne horizontale que le point antérieur.

Technique :
Identique à celle du point antérieur.

POINT 36 : Double

Situation :
A trois Tsun au-dessus de l'os de la cheville, sur le bord postérieur du tibia.

Technique :
Identique à celle du point 51, en utilisant la méthode par préhension.

Cette application est également utilisée pour combattre l'impuissance (voir « COMBATTRE L'IMPUISSANCE » application 5).

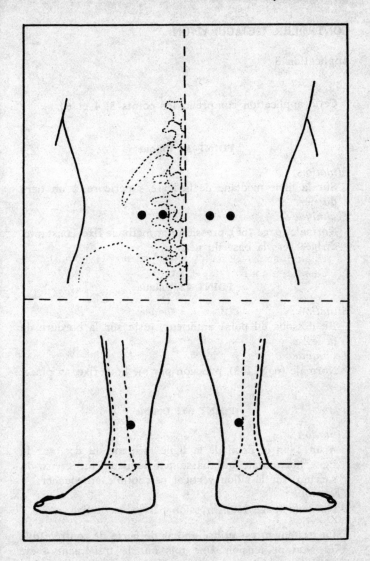

CONTROLER L'EJACULATION

Application 8

Cette application comprend les points 3, 4 et 60.

POINT 3 : Unique

Situation :
Sur la ligne médiane de la lèvre supérieure, à un tiers du nez.
Technique :
Normale (page 168), pression par méthode fixe, constante, dirigée vers la base du nez.

POINT 4 : Unique

Situation :
En dessous du point antérieur, juste sur la bordure de la lèvre.
Technique :
Normale (page 168), pression par méthode fixe, en pince.

POINT 60 : Double

Situation :
A un Tsun et demi de la ligne médiane du dos, sur la ligne horizontale qui passe par le deuxième creux du sacrum, sur le sillon vertical perceptible au toucher.
Technique :
Normale (page 168), pression par méthode fixe.

Ce traitement est utilisé en cas de perte de contrôle due à un état de tension. Une fois que le traitement a été appliqué, on doit se trouver dans un état de relaxation complète qui élimine toute anxiété.

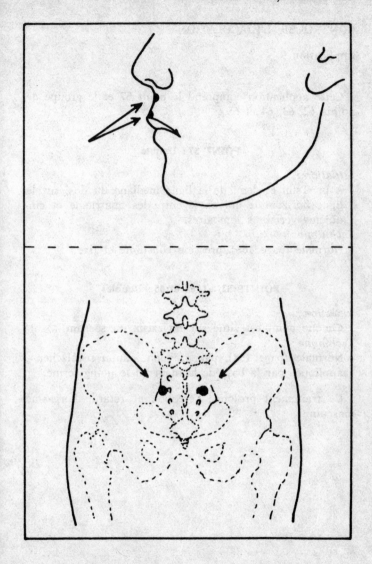

CONTROLER L'EJACULATION

Application 9

Cette application comprend le point 57 et le groupe de points 62, 63, 64 et 65.

POINT 57 : Double

Situation :
A un Tsun et demi de la ligne médiane du dos, sur la ligne horizontale qui passe entre les quatrième et cinquième vertèbres lombaires.

Technique :
Normale (page 168), pression constante et fixe.

POINTS 62, 63, 64 et 65 : Doubles

Situation :
Chaque point est situé sur un creux du sacrum.

Technique :
Normale (page 168), par pression « appuyer-relâcher », appliquée par la base de la main ou le poing fermé.

Ce traitement prolonge l'érection et retarde l'orgasme masculin.

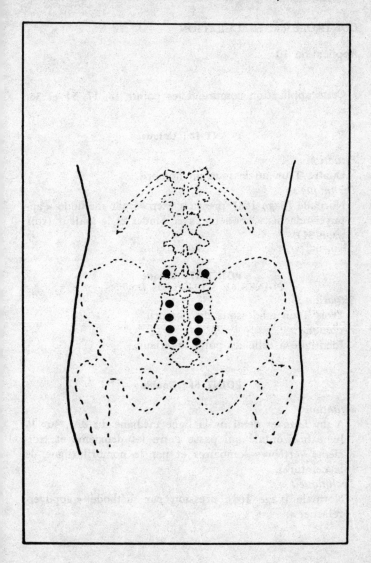

CONTROLER L'EJACULATION

Application 10

Cette application comprend les points 18, 17, 51 et 36.

POINT 18 : Unique

Situation :
Quatre Tsun au-dessous du nombril.
Technique :
Normale (page 168), pression exercée par méthode « appuyer-relâcher », modérée, avec l'index et le majeur (voir page 81).

POINT 17 : Unique

Situation :
Trois Tsun au-dessous du nombril.
Technique :
Identique à celle du point antérieur.

POINT 51 : Double

Situation :
A un Tsun et demi de la ligne médiane du dos, sur la ligne horizontale qui passe entre les deuxième et troisième vertèbres lombaires et par le nombril (ligne de la ceinture).
Technique :
Normale (page 168), pression par méthode « appuyer-relâcher ».

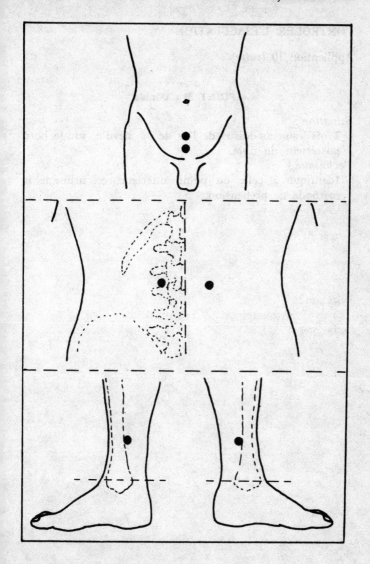

CONTROLER L'EJACULATION

Application.10 (*suite*)

POINT 36 : Double

Situation :

Trois Tsun au-dessus de l'os de la cheville, sur le bord postérieur du tibia.

Technique :

Identique à celle du point antérieur, en utilisant la méthode de préhension.

CONTROLER L'EJACULATION

Application 11

Cette application comprend les points 9, 11, 30 et 26.

POINT 9 : Double

Situation :
Sur la paume de la main, près de la tête du premier métacarpien, là où la peau s'éclaircit.
Technique :
Normale (page 168), pression en pince, le pouce étant sur le point et les autres doigts sur le dos de la main.

POINT 11 : Double

Situation :
Deux Tsun au-dessus du pli du poignet, entre les deux tendons.
Technique :
Normale (page 168).

POINT 30 : Double

Situation :
Deux Tsun au-dessous du pli de l'aine. Un Tsun au-dessous de l'endroit où l'on sent battre l'artère fémorale, sur la face interne de la cuisse.
Technique :
Normale (page 168). La pression sera douce, dirigée vers le muscle, en évitant d'appuyer sur l'artère.

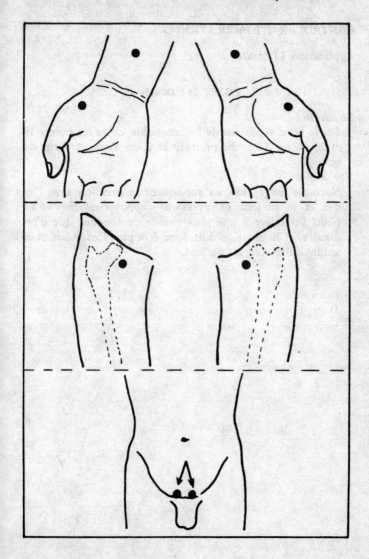

CONTROLER L'EJACULATION

Application 11 (*suite*)

POINT 26 : Double

Situation :

Sur le bord supérieur de l'os du pubis, entre les points 19 et 25. A un Tsun du premier et à un Tsun et demi du second.

Technique :

Normale (page 168), en appliquant la pression avec l'index et le majeur en pression « appuyer-relâcher ». Ce point se trouve à une plus grande profondeur que d'ordinaire, et la pression doit donc être plus forte sans pour autant faire mal au patient.

Onze applications pour combattre l'impuissance

Techniques de manipulation : aide-mémoire.

Si les techniques ne sont pas connues à fond, les revoir à partir de la page 39 ou de la page 87.

On trouvera ci-après les techniques habituelles de manipulation ainsi que celles plus particulières de certains points. Les techniques 1, 2 et 3 de la préparation ne seront effectuées qu'avant l'application. La technique 6 ne le sera qu'après. Le reste des techniques sera renouvelé à chaque point.

PREPARATION

1. Tenir compte des sept principes de base.
2. Faire la préparation aux applications.
3. Préparer les mains.
4. Localiser les points en utilisant le Tsun du partenaire.

MANIPULATION

1. Placer le doigt sur le point ; il doit rester immobile pendant quelques secondes et n'exercer aucune pression. Maintenir le contact durant tout le traitement.

2. Faire monter le ch'i de la porte originelle jusqu'aux mains.

3. Exercer une forte pression du pouce perpendiculairement à la peau. Maintenir la pression en comptant lentement jusqu'à cent huit, tandis que le doigt tourne dans le sens des aiguilles d'une montre. La pression et le mouvement sont constants tandis que la personne qui subit le traitement expulse l'air contenu dans ses poumons. Au moment où elle aspire de nouveau, la pression est maintenue alors que cesse le mouvement.

4. Mouvement et pression cessent une fois le traitement terminé, mais le contact entre le point et le doigt est prolongé quelques secondes.

5. Vérifier que le partenaire a recouvré le ch'i.

6. Se détendre ensemble pendant quelques minutes avant de commencer la pratique duelle.

L'éjaculation difficile, l'érection incomplète ou faible, l'absence d'érection alors qu'elle était possible auparavant, la diminution de fréquence des érections sont autant de problèmes combattus efficacement par les onze applications décrites dans ce chapitre. Si les effets en sont quelquefois immédiats, le succès dépend le plus souvent de la persévérance mise dans les applications.

Les cas plus graves que ceux que nous venons de décrire sont de la compétence du médecin spécialiste.

Il ne faut pas entreprendre la pratique duelle avant d'avoir recouvré la plénitude des facultés antérieures, sous peine de troubles au niveau énergétique.

La plupart des applications suivantes présentent des nuances que seule la pratique peut enseigner. De là dépend qu'une application est efficace ou pas.

COMBATTRE L'IMPUISSANCE

Application 1

Cette application comprend le seul point 25.

POINT 25 : Double

Situation :

Sur le ventre, à deux Tsun de la ligne médiane, sur la ligne horizontale qui passe par le point 19 (cinq Tsun en dessous du nombril).

Technique :

Normale (page 196), en appliquant la pression avec l'index et le majeur, avec assez de force pour entraîner la peau lorsque l'on fait tourner les doigts.

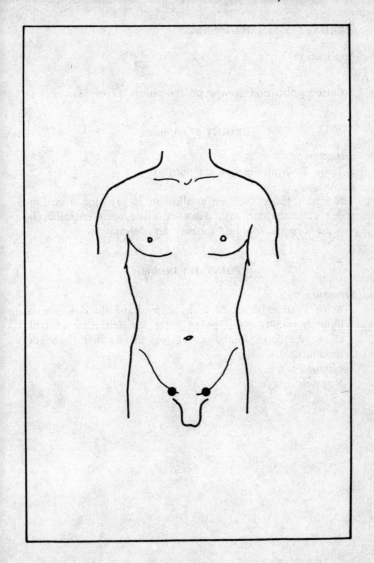

COMBATTRE L'IMPUISSANCE

Application 2

Cette application comprend les points 17 et 51.

POINT 17 : Unique

Situation :
Trois Tsun au-dessous du nombril.
Technique :
Normale (page 196), en appliquant la pression avec l'index et le majeur, avec assez de force pour entraîner la peau lorsque l'on fait tourner les doigts.

POINT 51 : Double

Situation :
A un Tsun et demi de la ligne médiane du dos, sur la ligne horizontale qui passe entre les deuxième et troisième vertèbres lombaires et par le nombril (ligne de la ceinture).
Technique :
Normale (page 196).

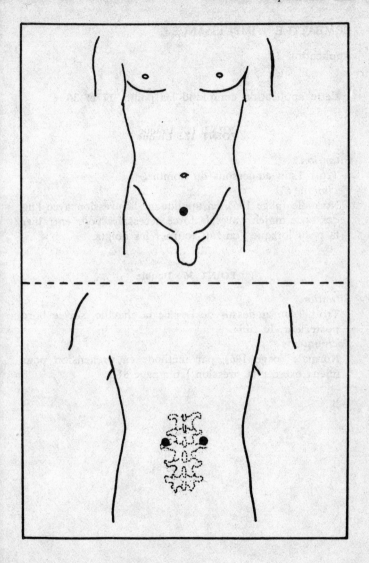

COMBATTRE L'IMPUISSANCE

Application 3

Cette application comprend les points 17 et 36.

POINT 17 : Unique

Situation :
Trois Tsun au-dessous du nombril.
Technique :
Normale (page 196), en appliquant la pression avec l'index et le majeur, avec la force nécessaire pour entraîner la peau lorsque l'on fait tourner les doigts.

POINT 36 : Double

Situation :
Trois Tsun au-dessus de l'os de la cheville, sur le bord postérieur du tibia.
Technique :
Normale (page 196), par méthode en préhension pour mieux exercer la pression (voir page 81).

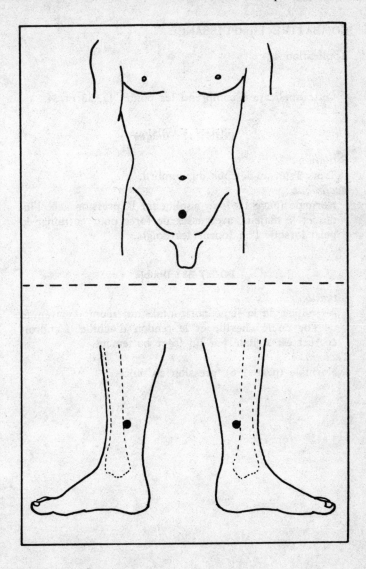

COMBATTRE L'IMPUISSANCE

Application 4

Cette application comprend les points 17, 38 et 34.

POINT 17 : Unique

Situation :
Trois Tsun au-dessous du nombril.
Technique :
Normale (page 196), en appliquant la pression avec l'index et le majeur, avec assez de force pour entraîner la peau lorsque l'on tourne les doigts.

POINT 38 : Double

Situation :
Au milieu de la ligne horizontale qui réunit l'extrémité de l'os de la cheville et le tendon d'Achille. L'endroit correct est signalé par un léger battement.
Technique :
Normale (page 196), pression en pince.

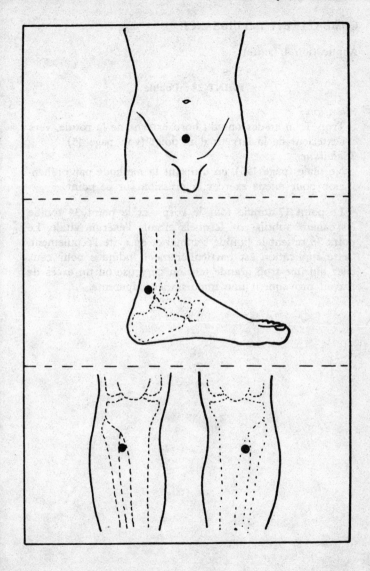

COMBATTRE L'IMPUISSANCE

Application 4 (*suite*)

POINT 34 : Double

Situation :

Trois Tsun au-dessous du bord externe de la rotule, vers l'extérieur de la largeur d'un doigt (voir page 45).

Technique :

Normale (page 196), en utilisant la méthode par préhension pour mieux exercer la pression sur ce point.

Le point 17 tonifie tout le corps, et le point 34 tonifie les canaux subtils par lesquels circule l'énergie vitale. Le point 38 retient le liquide séminal et en évite l'écoulement. Cette application est particulièrement indiquée pour ceux chez qui une trop grande tension nerveuse ou un excès de travail provoquent une impuissance apparente.

COMBATTRE L'IMPUISSANCE

Application 5

Cette application comprend les points 51, 52 et 36.

POINT 51 : Double

Situation :
A un Tsun et demi de la ligne médiane du dos, sur la ligne horizontale qui passe entre les deuxième et troisième vertèbres lombaires et par le nombril (ligne de la ceinture).
Technique :
Normale (page 196).

POINT 52 : Double

Situation :
A trois Tsun de la ligne médiane du dos. Sur la ligne qui passe par le point antérieur.
Technique :
Identique à celle du point antérieur.

POINT 36 : Double

Situation :
Trois Tsun au-dessus de l'os de la cheville, sur le bord postérieur du tibia.
Technique :
Normale (page 196), en utilisant la méthode en préhension, pour exercer une meilleure pression sur ce point.

Cette application est utilisée également pour le contrôle de l'éjaculation. (Voir le chapitre « Contrôle de l'éjaculation », application 7.)

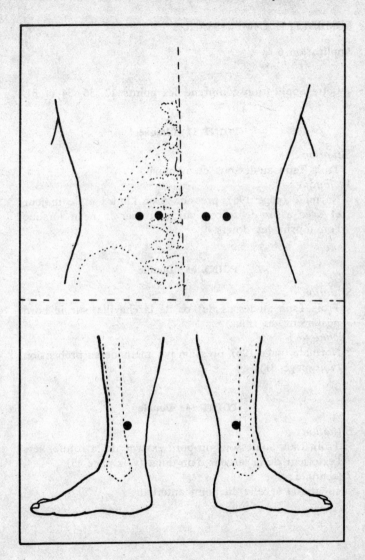

COMBATTRE L'IMPUISSANCE

Application 6

Cette application comprend les points 17, 36, 34 et 51.

POINT 17 : Unique

Situation :
Trois Tsun au-dessous du nombril.
Technique :
Normale (page 196), pression avec l'index et le majeur et avec assez de force pour entraîner la peau lorsque l'on tourne les doigts.

POINT 36 : Double

Situation :
Trois Tsun au-dessus de l'os de la cheville, sur le bord postérieur du tibia.
Technique :
Normale (page 196), pression par méthode en préhension (voir page 81).

POINT 34 : Double

Situation :
Trois Tsun au-dessous du bord externe de la rotule, vers l'extérieur de la largeur d'un doigt (voir page 45).
Technique :
Identique à celle du point antérieur.

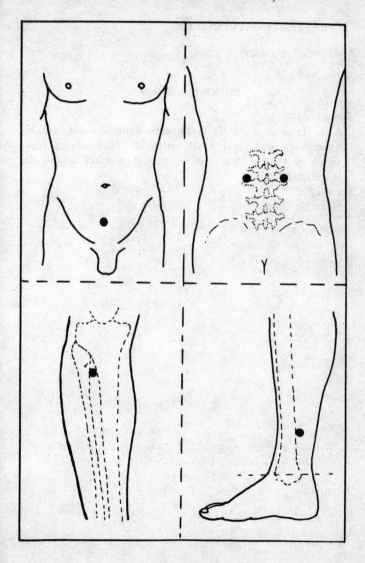

COMBATTRE L'IMPUISSANCE

Application 6 (*suite*)

POINT 51 : Double

Situation :

A un Tsun et demi de la ligne médiane du dos, sur la ligne horizontale qui passe entre les deuxième et troisième vertèbres lombaires et par le nombril (ligne de la ceinture).

Technique :

Normale (page 196).

COMBATTRE L'IMPUISSANCE

Application 7

Cette application comprend les points 20, 17, 36, 34 et 51.

POINT 20 : Unique

Situation :
Au centre du périnée, entre les organes génitaux et l'anus.
Technique :
Normale (page 196), pression de l'index et du majeur, selon la méthode « appuyer-relâcher », modérée (voir page 81).

POINT 17 : Unique

Situation :
Trois Tsun au-dessous du nombril.
Technique :
Normale (page 196), pression de l'index et du majeur, avec assez de force pour entraîner la peau lorsque l'on tourne les doigts.

POINT 36 : Double

Situation :
Trois Tsun au-dessus de l'os de la cheville, sur le bord postérieur du tibia.
Technique :
Normale (page 196), en utilisant la méthode par préhension (voir page 81).

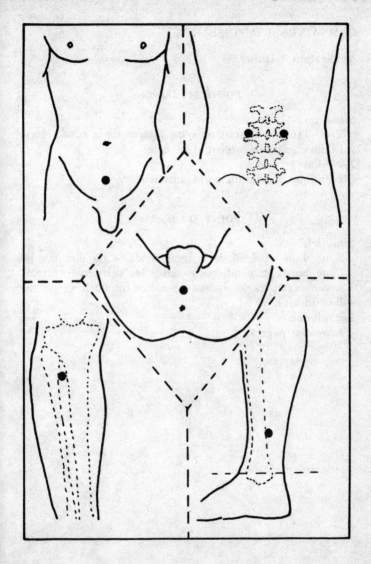

COMBATTRE L'IMPUISSANCE

Application 7 (*suite*)

POINT 34 : Double

Situation :
Trois Tsun au-dessous du bord externe de la rotule, vers l'extérieur de la largeur d'un doigt.
Technique :
Identique à celle du point antérieur.

POINT 51 : Double

Situation :
A un Tsun et demi de la ligne médiane du dos, sur la ligne horizontale qui passe entre les deuxième et troisième vertèbres lombaires et par le nombril (ligne de la ceinture).
Technique :
Normale (page 196).

COMBATTRE L'IMPUISSANCE

Application 8

Cette application comprend les points 66, 56 et 53.

POINT 66 : Unique

Situation :
Sur la ligne médiane du dos, à la jointure du sacrum et du coccyx.
Technique :
Normale (page 196).

POINT 56 : Unique

Situation :
Sur la ligne médiane du dos, entre les quatrième et cinquième vertèbres lombaires.
Technique :
Normale (page 196).

POINT 53 : Unique

Situation :
Sur la ligne médiane du dos, entre les deuxième et troisième vertèbres lombaires.
Technique :
Identique à celle des deux points antérieurs.

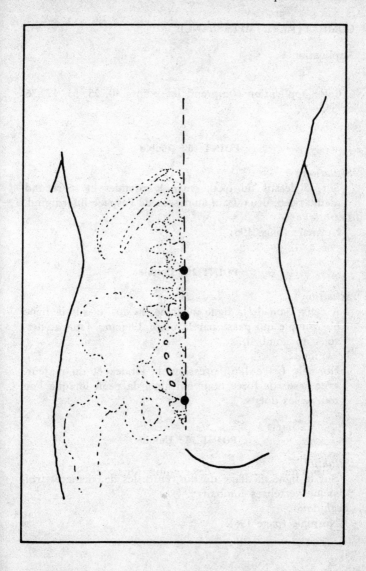

COMBATTRE L'IMPUISSANCE

Application 9

Cette application comprend les points 40, 25, 53, 17, 36 et 34.

POINT 40 : Double

Situation :
Sur le dessus du pied, entre le premier et le second métatarsien, deux Tsun au-dessus de l'espace interdigital.
Technique :
Normale (page 196).

POINT 25 : Double

Situation :
A deux Tsun de la ligne médiane du dos, et sur la ligne horizontale qui passe par le point 19 (cinq Tsun au-dessous du nombril).
Technique :
Normale (page 196), pression de l'index et du majeur, avec assez de force pour entraîner la peau lorsque l'on tourne les doigts.

POINT 53 : Unique

Situation :
Sur la ligne médiane du dos, entre les deuxième et troisième vertèbres lombaires.
Technique :
Normale (page 196).

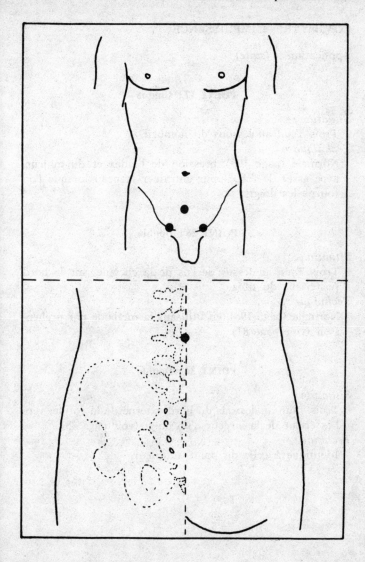

COMBATTRE L'IMPUISSANCE

Application 9 (*suite*)

POINT 17 : Unique

Situation :
Trois Tsun au-dessous du nombril.
Technique :
Normale (page 196), pression de l'index et du majeur, avec assez de force pour entraîner la peau lorsque l'on tourne les doigts.

POINT 36 : Double

Situation :
Trois Tsun au-dessus de l'os de la cheville, sur le bord postérieur du tibia.
Technique :
Normale (page 196), en utilisant la méthode par préhension (voir page 81).

POINT 34 : Double

Situation :
Trois Tsun au-dessous du bord externe de la rotule, vers l'extérieur de la largeur d'un doigt (voir page 45).
Technique :
Identique à celle du point antérieur.

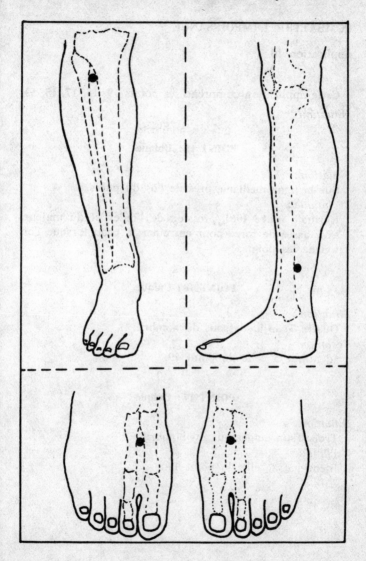

COMBATTRE L'IMPUISSANCE

Application 10

Cette application comprend les points 19, 18, 17, 15, 53, 51, 35 et 32.

POINT 19 : Unique

Situation :
Sur la ligne médiane, près de l'os du pubis.
Technique :
Normale (page 196), pression de l'index et du majeur, avec assez de force pour entraîner la peau lorsque l'on tourne les doigts.

POINT 18 : Unique

Situation :
Quatre Tsun au-dessous du nombril.
Technique :
Identique à celle du point 19.

POINT 17 : Unique

Situation :
Trois Tsun au-dessous du nombril.
Technique :
Identique à celle du point 19.

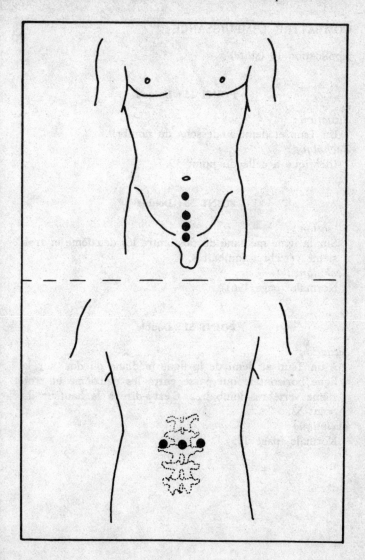

COMBATTRE L'IMPUISSANCE

Application 10 (*suite*)

POINT 15 : Unique

Situation :
Un Tsun et demi au-dessous du nombril.
Technique :
Identique à celle du point 19.

POINT 53 : Double

Situation :
Sur la ligne médiane du dos, entre les deuxième et troisième vertèbres lombaires.
Technique :
Normale (page 196).

POINT 51 : Double

Situation :
A un Tsun et demi de la ligne médiane du dos, sur la ligne horizontale qui passe entre les deuxième et troisième vertèbres lombaires. C'est-à-dire à la hauteur du point 53.
Technique :
Normale (page 196).

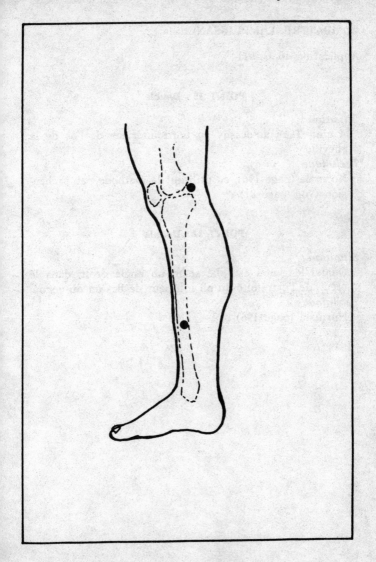

COMBATTRE L'IMPUISSANCE

Application 10 (*suite*)

POINT 35 : Double

Situation :

A cinq Tsun au-dessus du bord intérieur de l'os de la cheville.

Technique :

Normale (page 196), en utilisant la méthode par préhension (voir page 81).

POINT 32 : Double

Situation :

Quand le genou est plié selon un angle droit, dans le creux de l'extrémité du pli intérieur de flexion du genou.

Technique :

Normale (page 196).

COMBATTRE L'IMPUISSANCE

Application 11

Cette application comprend le seul point 35.

POINT 35 : Double

Situation :

A cinq Tsun au-dessus du bord intérieur de l'os de la cheville.

Technique :

Normale (page 196), mais en utilisant la méthode par préhension et en appliquant la pression en tournant dans le sens des aiguilles d'une montre de façon continue. On appuiera sur le point lorsque la personne qui subit le massage aspire et l'on stoppe le mouvement giratoire lorsqu'elle expulse l'air.

Cette dernière application soulage ce que l'on nomme « priapisme ». Cette situation est proche de l'impuissance même si elle en semble bien éloignée et elle peut être extrêmement douloureuse.

Il est indispensable d'exécuter cette technique avec le plus grand soin et de ne l'employer que dans ce cas. Le traitement de ce point en dehors de ce contexte peut produire une perte d'énergie assez importante pour provoquer une apathie sexuelle chronique.

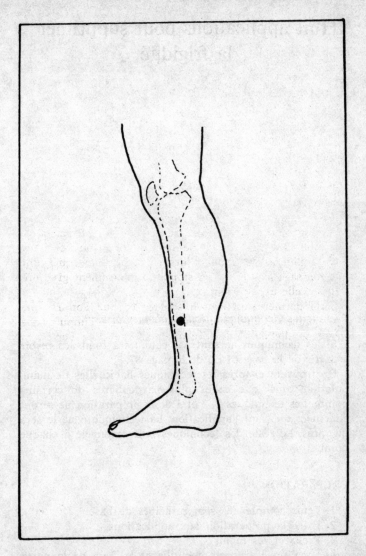

Huit applications pour supprimer la frigidité

Techniques de manipulation : aide-mémoire.

Si les techniques ne sont pas connues à fond, les revoir à partir de la page 61 ou de la page 87.

On trouvera ci-après les techniques habituelles de manipulation, ainsi que celles plus particulières de certains points. Les techniques 1, 2 et 3 de la préparation ne seront effectuées qu'avant l'application. La technique 6 ne le sera qu'après. Le reste des techniques sera renouvelé à chaque point.

PREPARATION

1. Tenir compte des sept principes de base.
2. Faire la préparation aux applications.
3. Préparer les mains.
4. Localiser les points en utilisant le Tsun de la partenaire.

MANIPULATION

1. Placer le doigt sur le point ; il doit rester immobile pendant quelques secondes et n'exercer aucune pression. Maintenir le contact durant tout le traitement.

2. Faire monter le ch'i de la porte originelle jusqu'aux mains.

3. Exercer une forte pression du pouce perpendiculaire à la peau. Maintenir la pression en comptant lentement jusqu'à cent huit, tandis que le doigt tourne dans le sens des aiguilles d'une montre. La pression et le mouvent sont constants tandis que la personne qui subit le traitement expulse l'air contenu dans ses poumons. Au moment où elle aspire de nouveau, la pression est maintenue alors que cesse le mouvement.

4. Mouvement et pression cessent une fois le traitement achevé, mais le contact entre le doigt et le point est prolongé quelques secondes.

5. Vérifier que la partenaire a recouvré le ch'i.

6. Se détendre ensemble pendant quelques minutes avant de commencer la pratique duelle.

Le principal obstacle pour accomplir pleinement la pratique duelle est le manque de réponse sexuelle féminine. S'il n'y a pas d'orgasme féminin, il est impossible que s'établisse un bon échange énergétique. Très souvent, cette apathie sexuelle est due à la fatigue, à un niveau énergétique insuffisant pour atteindre l'orgasme, symptômes que l'on combat par les applications du premier groupe. Les difficultés peuvent parfois trouver leur origine dans une absence de concentration. Ce problème trouve sa solution dans les applications du deuxième groupe, en particulier celles qui aident à augmenter l'intensité de l'orgasme. Enfin, s'il ne s'agit pas de fatigue ou d'impuissance sexuelle, il peut s'agir d'un blocage émotionnel qui empêche toute expansion énergétique par voie sexuelle.

Les huits applications de ce dernier groupe sont destinées à lever ces barrières en relâchant les tensions qui les ont produites.

SUPPRIMER LA FRIGIDITE

Application 1

Cette application ne comprend que le seul point 36.

POINT 36 : Double

Situation :

Trois Tsun au-dessus de l'os de la cheville, sur le bord postérieur du tibia.

Technique :

Normale (page 232), en utilisant la méthode par préhension (voir page 81).

Ce point est le point féminin par excellence. Traité avec persévérance, les résultats obtenus peuvent être surprenants.

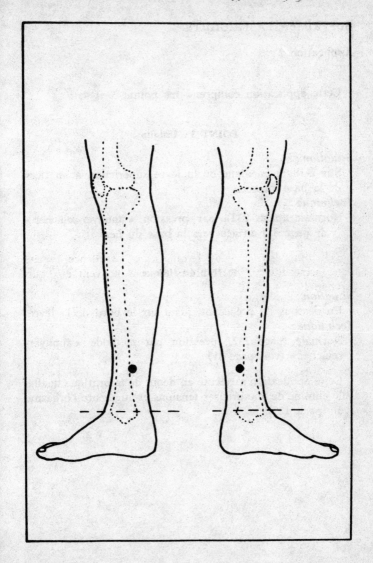

SUPPRIMER LA FRIGIDITE

Application 2

Cette application comprend les points 3 et 4.

POINT 3 : Unique

Situation :
Sur la ligne médiane de la lèvre supérieure, à un tiers
de la base du nez.

Technique :
Normale (page 232), par pression « appuyer-relâcher »
(voir page 81) dirigée vers la base du nez.

POINT 4 : Unique

Situation :
En dessous du précédent, juste sur le bord de la lèvre.

Technique :
Normale (page 232), pression par méthode « appuyer-
relâcher » (voir page 81).

Cette application s'exécute au début de la pratique duelle.
Elle élimine de nombreuses tensions et augmente l'orgasme
(voir page 128).

SUPPRIMER LA FRIGIDITE

Application 3

Cette application comprend le seul point 54.

POINT 54 : Unique

Situation :
Entre les troisième et quatrième vertèbres lombaires, sur la ligne médiane du dos.
Technique :
Normale (page 232).

Ce point est tout particulièrement indiqué pour supprimer la frigidité.

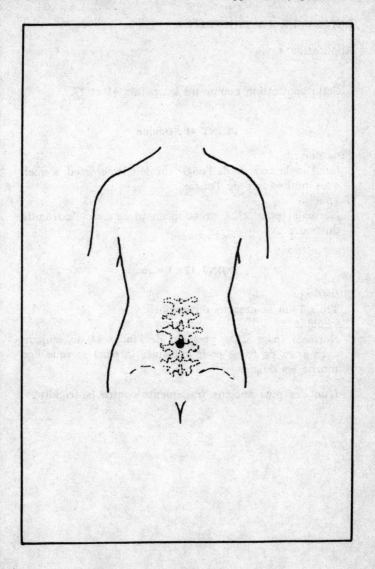

SUPPRIMER LA FRIGIDITE

Application 4

Cette application comprend les points 41 et 17.

POINT 41 : Double

Situation :
Sur l'angle externe de l'ongle du deuxième orteil, à quelques millimètres de l'ongle.
Technique :
Normale (page 232), pression en pince avec l'extrémité du pouce.

POINT 17 : Unique

Situation :
Trois Tsun au-dessous du nombril.
Technique :
Normale (page 232), pression de l'index et du majeur, avec assez de force pour entraîner la peau lorsque l'on tourne les doigts.

L'un des plus anciens traitements contre la frigidité.

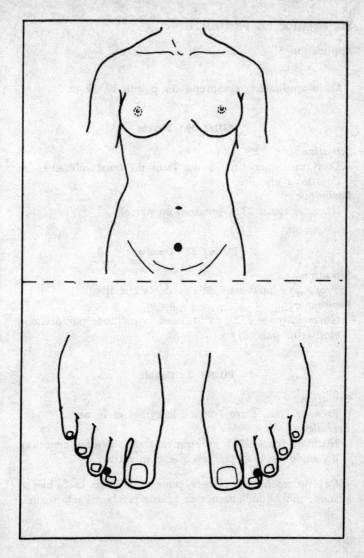

SUPPRIMER LA FRIGIDITE

Application 5

Cette application comprend les points 39, 37 et 2.

POINT 39 : Double

Situation :

Dans un creux situé à un Tsun du bord inférieur de l'os de la cheville.

Technique :

Normale (page 232), pression en pince.

POINT 37 : Double

Situation :

Trois Tsun au-dessus de l'os de la cheville.

Technique :

Normale (page 232), en utilisant la méthode par préhension (voir page 81).

POINT 2 : Double

Situation :

Près de l'œil, entre l'orifice lacrymal et le nez.

Technique :

Normale (page 232), en appuyant avec précaution selon un angle de 45 degrés avec le plan du nez.

Ce traitement est efficace pour combattre la faiblesse sexuelle ainsi que l'absence de plaisir pendant l'acte sexuel.

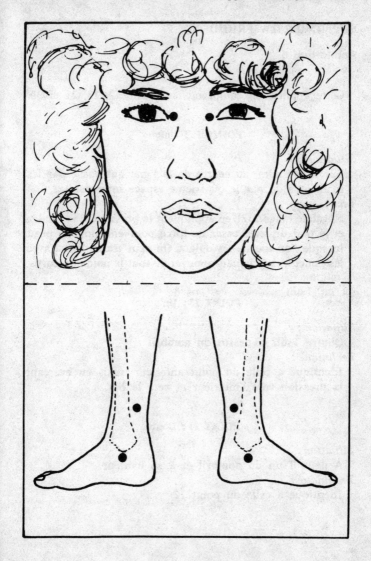

SUPPRIMER LA FRIGIDITE

Application 6

Cette application comprend les points 12, 13, 21 et 30.

POINT 12 : Unique

Situation :
Sur le sternum, au centre de la ligne qui passe par les mamelons ou par le quatrième espace intercostal.

Technique :
Normale (page 232), en appliquant la pression avec l'index et le majeur, avec assez de force pour entraîner la peau lorsque l'on tourne les doigts. On peut traiter aussi avec les pouces, sans jamais appuyer de tout le poids du corps.

POINT 13 : Unique

Situation :
Quatre Tsun au-dessus du nombril.

Technique :
Identique à celle du point antérieur, mais en exerçant la pression vers l'intérieur et vers le bas.

POINT 21 : Double

Situation :
A deux Tsun du nombril et à sa hauteur.

Technique :
Identique à celle du point 12.

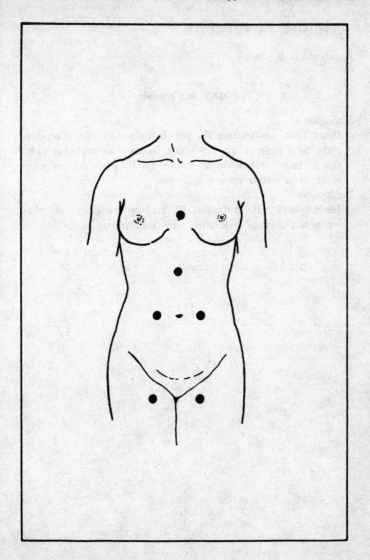

SUPPRIMER LA FRIGIDITE

Application 6 (*suite*)

POINT 30 : Double

Situation :

Deux Tsun au-dessous du pli de l'aine, un Tsun au-dessous de l'endroit où l'on sent battre l'artère fémorale, sur la face interne de la cuisse. La localisation est plus aisée si la personne est allongée.

Technique :

Identique à celle du point 12, en appuyant un peu plus les pouces, jusqu'à localiser le tissu musculaire.

SUPPRIMER LA FRIGIDITE

Application 7

Cette application comprend les points 51, 58, 59 et 5.

POINT 51 : Double

Situation :
A un Tsun et demi de la ligne médiane, sur la ligne horizontale qui passe entre les deuxième et troisième vertèbres lombaires et par le nombril (ligne de la ceinture).
Technique :
Normale (page 232).

POINT 58 : Double

Situation :
A un Tsun et demi de la ligne médiane, sur la ligne horizontale qui passe au-dessous de la cinquième vertèbre lombaire.
Technique :
Identique à celle du point antérieur.

POINT 59 : Double

Situation :
A un Tsun et demi de la ligne médiane, sur la ligne horizontale qui passe par le premier creux du sacrum, dans un sillon vertical perceptible au toucher.
Technique :
Identique à celle du point 51.

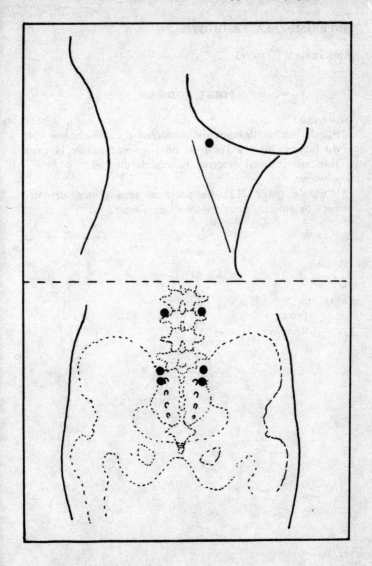

SUPPRIMER LA FRIGIDITE

Application 7 (*suite*)

POINT 5 : Double

Situation :

Sur le cou, au-dessous de la mâchoire et de chaque côté du larynx, juste à l'endroit où l'on sent battre la carotide, sur le bord externe du muscle du cou.

Technique :

Normale (page 232). La pression sera douce, orientée vers le muscle, sans appuyer sur l'artère.

SUPPRIMER LA FRIGIDITE

Application 8

Cette application comprend les points 25, 34, 30, 33 et 36.

POINT 25 : Double

Situation :

Sur le ventre, à deux Tsun de la ligne médiane. Sur la ligne qui passe par le point 19 (cinq Tsun au-dessous du nombril).

Technique :

Normale (page 232), pression de l'index et du majeur, avec assez de force pour entraîner la peau en faisant tourner les doigts.

POINT 34 : Double

Situation :

Trois Tsun au-dessous du bord externe de la rotule et vers l'extérieur de la largeur d'un doigt.

Technique :

Normale (page 232), par méthode de préhension.

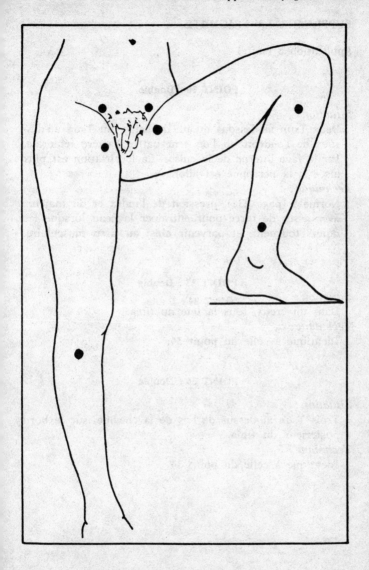

SUPPRIMER LA FRIGIDITE

Application 8 (*suite*)

POINT 30 : Double

Situation :

Deux Tsun au-dessous du pli de l'aine, un Tsun au-dessous de l'endroit où l'on sent battre l'artère fémorale, sur la face interne de la cuisse. La localisation est plus aisée si la personne est allongée.

Technique :

Normale (page 232), pression de l'index et du majeur, avec assez de force pour entraîner la peau lorsque les doigts tournent, et parvenir ainsi au tissu musculaire.

POINT 33 : Double

Situation :

Dans un creux, sous la tête du tibia.

Technique :

Identique à celle du point 34.

POINT 36 : Double

Situation :

Trois Tsun au-dessus de l'os de la cheville, sur le bord postérieur du tibia.

Technique :

Identique à celle du point 34.

APRES L'ACCOMPLISSEMENT

Après l'accomplissement, lorsque est achevé l'acte sexuel, l'homme et la femme sont en harmonie. Si le masculin et le féminin sont en harmonie, l'Univers est en équilibre.

Après l'accomplissement
est l'hexagramme du rapport sexuel.

Achevé d'imprimer sur les presses de **Scorpion**,
à Verviers, pour le compte des nouvelles éditions **Marabout**.
D. juin 1983/0099/91
ISBN 2-501-00399-3

marabout service

Santé

Sexualité